KB134184

지혜서

몹시

비틀거리는 그대에게

Part 3

1/4   봄
a 시인 묵상 시 에세이집

시와정신

지혜서

몹시
비틀거리는 그대에게
Part 3

1/4 봄

a 시인   묵상 시 에세이집

시와 정신

프롤로그

그대 삶을 돌아보시지요.
그대의 흑역사. 비틀거렸던 수많은 누런 기억들.

뒤를 돌아본다
그 곳
그 일
그 인간

뒤를 돌아본다

그 곳에 없었다면
그 일을 안했다면
그 인간 아니라면
　—「그때 비틀거리지 않았을 것을」

그런데, 과거에 그리 많이 비틀거려놓고도 지금도, 비틀거리고 있습니다.
몹시.
이렇게 살다가는 당연히 ☞ 미래도 계속 비틀거릴 것입니다.

몹시.

◉ 이유는

1.지금 그대가 알거나, 믿고 있는 것이 잘못되었기 때문이고

2. 장소, 일, 사람, 시간을 잘못 보는 그대의 판단 수준 때문입니다.

◉ 그대가 그릇된 판단으로 몹시 비틀거리며 잘못 살고 있음을 바로 잡기 위하여

▶ 이 책은

1. 그대가 '맞다고 생각하는'

   예를 들면, 데카르트의 오류를 근거 있게 제시합니다. 그리고

     매슬로 욕구단계설의 오류

     폴린 효과의 오류

     임제 선사의 오류

     아리스토텔레스의 오류

     헬렌 켈러의 오류

     프로이트 꿈 이론의 오류

     심리학자 데이비드 루이스(David Lewis) 교수의 오류

     푸시킨 시 '삶이 그대를 속일지라도'의 오류

     식물분류학자 칼 폰 린네(Carl von Linné)의 오류

     쇼펜하우어의 오류

     에이브러햄 링컨의 오류

     적극적 사고방식의 오류 등에다가

     여러 종교 지도자들의 오류 들을 논리적으로 지적합니다.

  2. 그대에게 좋은 사람, 좋은 일, 좋은 장소, 시간을 제대로 보는 지혜를 줍니다. 이 책에 수록된 방대하고도 기록적인 '2,100편의 짧은 묵상시들이

1) 깊은 묵상에 이르게 합니다.
2) 외우기 쉽게 중복되어서 읽어나가다 보면 '반복 각인 효과'
가 있습니다.
3) 그대의 나쁜 습관이 저절로 교정됩니다.
4) 그대는 신중하고 담담하며 평온한 성격의 현자가 됩니다.

◉ 사람이 살아가는 것은 장애물 경주와 같습니다.

소리도 겁주는 총소리에
일제히 튀어 나가 달린다

누구는 금신발로 달리고
누구는 맨발바닥 달린다

그냥 달리기도 벅차건만
높은 장애물 낮은 장애물

장애물 넘어 딛는 땅은
수렁도 있고 낭떠러지도

사력 다했는데 꼴찌 되고
포기하려 하다 선두 서고

온몸 성한 데 없게 달려
왔더니 종착지 없으니
　—「삶은 장애물 경주」

그리고 전쟁터입니다.

학교
직장
이웃
저들과 전쟁

시간
장소
그일
이들과 전쟁
　　－「가만히 보면
　　　실제로 보면 전쟁터에서 살아남기」

◉ 그대는 잘못된 길 위에서, 엉뚱한 판단을 하며 살아가고 있습니다.

이 길 걷다가 보니
저 길이어야 했다
　　　　　다시 걷다 돌아보니
　　　　그 길 그냥 있을 걸
　　－「휘휘 돌아가는 이정표」

거기에다가 이정표가 잘못되어 있으니 삶의 미로에서
담벼락을　　　　　　　만나고,
툭하면 절벽에 서게 되는 것　입니다.

내가 문제가 있고, 내 문제에 더하여 이정표 문제까지 있으니
내가 비틀거립니다.   몹시 비틀거립니다.

비틀거리니 어찌 행복할까요?
비틀거리니 계속 불행하지요. 걱정과 문제가 끊이지 않습니다.

우왕좌왕.
은들 비틀 은들 비틀
어질어질.
아이들도 비틀거리고, 청년들, 장년들 그리고 노인들까지
모두 몹시 비틀거립니다.

국내에서, 국제적으로
산전, 수전, 공중전, 사막전, 상륙작전, 화생방전, 시가전 그리고
대테러전까지 겪고 이 수많은 전쟁에서 얻은, 깊고도 깊은 상처들
을 간직한 채
처절히 살아남은 백전노장의 글.

어떻게 많은 전쟁을 실제로 겪어보지 않은 사람이
전쟁터에서 살아남는 법을 전수할 수가 있겠습니까.

그리고 사막 유목민/노마드 같은 미국 이민 40년 넘은 생활 동안,
손가락으로 꼽기에도 넘치는 절대 위기 상황/장애물을 넘고.
국제적으로   장렬하고도 찬란히 살아남은 노련한 선수의
가슴으로 쓴 글을 읽으시고 묵상하시면서
삶의 반짝거리는 지혜를 터득하시길 바랍니다.

〈거꾸로 거꾸로 행복 혁명〉을 발간한 지, 10년이 넘었습니다. 312편의 시를 엮어 소설같이 써 내려간 희귀한 **'시 소설책'**입니다.

책 발간 이후, **중앙일보(미주)에 행복 성찰 고정 칼럼**을 써오면서, 지면 관계상 쓰지 못하였던 내용과 신문에 싣지 못한 내용들을 묶어 〈 진정 살아남고 싶은 그대에게 – Part 3 〉
지혜서 – * 몹시 비틀거리는 그대에게 * 를 책으로 내게 되었습니다. 〈거꾸로 거꾸로 행복 혁명〉에서 썼던 시도 인용하며 해설을 붙여 에세이로도 써 보았고요. 책의 성격은 시와 묵상을 혼합한 흔치 않은 **〈시 묵상 에세이집〉**입니다.

이 책의 많은 부분이 코로나 바이러스 19 팬데믹 기간에 쓰였습니다. 팬데믹은 전 세계, 온 인류에게 닥친 최대의 위기였습니다. 바이러스 앞에 인간이 그동안 추구해온 모든 것은 먼지 같아 보였습니다. 인간들은 티끌이었고요. 현대과학은 무기력했고, 인간이 그동안 매달려 왔던 모든 종교는 자기 종단의 선량한 사람들이 비참하게 죽어 가는데도 속수무책이었습니다. 이 기간에 인류 약 6백 9십만 명의 소중한 목숨이 처참히 꺾여 나가는 동안 사람들은 '우왕좌왕하고 비틀거리는 모습'만 보여 주었습니다. 동서양 세계 모두에서 몹시 비틀거리는 사람들을 보며 그동안 생각한 것을 정리하여야겠다며 책을 쓰기 시작하였는데, 나쁜 시력으로 글을 쓰다 보니 시간이 오래 걸렸습니다. 글을 쓰면 쓸수록 두 눈에 맺혀지는 Image들은 점점 흔들리고 보이지를 않아서 책 쓰는 것을 도중에 여러 번 그만두어야 할 정도였습니다.

하지만, 마음을 다스리고 몸을 추슬러 책상에 앉아 시를 쓰고, 수필을 쓰며 기존 글들을 정리하였습니다. 고통을 속옷같이 입고 생활

해 왔기에 가능한 일이었습니다. 책이 완성되었습니다.

▶지혜서의 2,100편의 묵상시를 가슴에 품고 사는 이와 그렇지 않은 이의 차이는

행복과 불행

현자와 우자

평온과 불안　　　　　　**정도 됩니다.**

봄, 여름, 가을, 겨울로 되어 있는 이 책의 한 페이지 한 페이지를 읽어 나가시다 보면, **자연이 보이실 것입니다.** 그 자연 속에서 **짧은 시 2,100편을 곰곰이 묵상하시다가 보면, 서서히 마음속에 지혜가** 등불로 밝게 빛나게 되는 것을 느끼실 것입니다.

▲ 지예로운 사람이 되는 놀라운 경엄 ▲

비법이라면 비법이라고 할 수 있는 그 경험의 이야기를
지금 책장에 고운 눈길을 주시는
사랑하는 그대에게 바칩니다.

a 시인
낮게 엎드림

＊이 책 저자의 모든 책 수익은 검증할 수 있게
100% 불우이웃에게 기부됩니다. ＊

봄

하루 살려는 하루살이 무심코 잡지 마라
　　　　너의 삶만큼 주름진 손으로
　　　　주름 하나도 없는 그 성자를

　　　온전히 순간순간 사는 하루살이 잡지 마라
　　　네가 정말 하루라도 그처럼
　　　진실하게 살아본 적 있는가
ㅡ「하루살이 성자 Ⅰ」

　　　일 분도 진실한 하루살이
　　　무심코 잡지 마라
　　　하루 내내 진정성 없는
　　　너의 그 손으로
　　　　　　　ㅡ「하루살이 성자 Ⅱ」

하루 사는 하루살이 잡는가
그 핑계 많고도 많은 너의 손으로

하루 지나면 사라질 사연에
너의 그 모질고도 잔인함 언제까지
　　　　　ㅡ「하루살이 성자 Ⅲ」

하루살이의 종류는 2500여 종이나 된다고 합니다. 하루살이는 유충으로 1년에서 최대 3년까지 땅속에서 지내다가 나와, 몇 시간 또는 하루나 일주일 정도 산다고 하지요. 사람들은 대충 하루 정도 산다고 보고 '하루살이(mayfly 또는 shade fly; 목 명의 뜻은 하루 동안 사는 날개 - Wing lasting for a day)'라고 이름을 붙였습니다. 못된 인간들은, 하루 그날 벌어 그날 먹으며 하루하루 힘들게 사는 사람을 업신여기는 마음으로 '하루살이 인생'이라는 모진 말까지 만들었고요.

'사람이 행복하여지려면 어떻게 해야 하나?'라는 문제는 종교, 철학 및 심리학에서 항상 다루어져 왔던 단골 주제입니다. 당신은 왜 사냐고 물어보면 절반 넘는 사람이 '행복하여지려고 산다'는 대답을 즉시 한다고 하지요. 나머지 사람들의 약간 다르게 대답한 내용들도, 속을 들여다보면 결국 같은 결론의 대답이 되지 않겠나 생각됩니다.

책방에 가보면 행복에 관한 책들이 참으로 많습니다. 행복에 관한 장르를 따로 설정하고 그 안에 사상, 종교, 철학, 문학, 사회학, 의학 등으로 분류를 하여 사람들에게 책을 고르는 편리함을 주는 것이 좋겠다라는 생각이 들 정도로 행복에 관한 책들이 많지요.

사람들은 누구나 행복하게 살고 싶기에 행복에 관한 책들을 찾는 면도 있고

그만큼 진정한 행복을 찾기가 힘들기 때문에 정말 행복을 이루는 데 효과가 있는 책은 없을까? 하며 꾸준히 찾는 면도 있습니다. 행복 행복하며 행복을 찾지만, 주위를 깊이 살펴보면, **실제로 항상 행복하게 살아가는 사람은 그리 많지 않은 것 같습니다. 그저, 남 앞에 행복한 척 보이려고 노력하는 사람들이** 거의이지요.

우리 앞에 하루살이처럼 하루만이 '달랑' 주어진다면 우리는 어떻

게 살아갈까요? 미워하지 않을 것입니다. 교만하지도 않고 성도 내지 않을 것입니다. 지금처럼 그렇게 아침저녁으로 시기하거나 욕심에 휩싸여 살아가지도 않을 것입니다. 살아갈 날이 단지 하루밖에 없는데, 얼마나 진정으로 행복하여지려고 노력하겠습니까? 거짓된 말이나 행동 같은 것은 엄두도 못 내겠지요.

어쩌면 우리가 하루하루를 진실하게 살지 않기 때문에 우리 모두 깊은 속에 거짓이 있고 그 거짓들이 모여, 가식이 넘치고 서로 믿지 못하는 무서운 '거짓 가짜사회'에서 살아가고 있는 것은 아닐까요.

우리는 '하루살이 인생'이어야 합니다.

진실하게 살고 하루하루를 진정으로 산다면, 그제야 우리는 행복할 수 있습니다. 오늘 몇 시간 온전히 진실하게 살려고 날개 펴는 성스러운 성자를, 그늘이 깊게 스민 당신의 그 주름진 손으로 잡지 마셔요. 하루살이보다 못한 인간이 될 수도 있습니다.

하루살이보다 못한 인간 있었다
매일 피하지도 막지도 못해가며

과거에서 날아온 화살 맞고
미래에서 쏜 총알들 또 맞는
─「하루살이 방패(防牌)」

내일만 없다면
나를 항상 옥죄는 탐욕은 사라집니다.

과거만 없다면,

씻기지 않을 것 같은 죄의식에서 벗어날 수도 있습니다.

적어도 오늘만이라도

하루살이처럼 사시며 행복하시길 기원합니다.

'하루의 괴로움은 그날에 겪는 것만으로 족하다.'하지 않습니까.

조금은 어수룩할 걸 그랬어요

약간 모자라게 살아올 것을

어느 정도 허술하고

아쉽게도 짧은 2월

세상살이 같은 가시 돋친 까만 1월을

딛고 꽃망울 3월 오는 것은 그 2월이

그렇게 스스로 작기

때문이라고 하던데

　ㅡ「2월 찬가」

세계인의 거의 모두가 사용하고 있는 태양력은

율리우스력(B.C 46년부터 사용)이 시초입니다. 길이는 365.25

일이고요.

그런데 이는 실제의 태양년(365.242190일)하고 차이가 있지요.

이런 차이를 극복하기 위하여 1582년부터는 윤년을 두게 두었는데

그것이 지금의 그레고리력입니다.

14

여러 달 가운데 2월만 가장 짧은 것은 왜일까요?

  로마인들이 쓰던 달력은 처음엔 1월부터 10월까지로, 달 이름이
10개밖에 없었습니다. 11월과 12월에 해당하는 두 달은 이름조차
없었고요. 그러다가 율리우스 케사르의 조카인 아우구스투스 케사
르가 황제가 되면서 이를 고칩니다.
  율리우스의 달인 July(7월)가 31일까지인데 자기의 달인 Augus-
tus(8월)가 작으므로 이를 31일까지로 고치고, 9월과 11월은 30일,
10월과 12월은 31일로 하고, 2월은 평년 28일, 윤년 29일로 만들
었습니다.

  이런 과정을 거쳐서 일 년 12달이 만들어졌지요.
  그중 제일 정이 많이 가는 달이 2월이고요.

  실제로는
  똑똑하지도 못하면서 영리한 줄 알았던, 어리석은 삶을 살아왔기에
  작고 적어서, 어수룩해 보이는 2월에 연민이 갑니다.

  하얀 가시가 세상을 덮어 버리고 마는 겨울의 1월을 딛고

    기적보다 더 기적 같은
                꽃망울이 넘쳐나는 3월로 건너는 징검 달.

  3월이 되어도 그 누구의 삶에 향기가 없는 이유는

    2월만이라도 작고

2월처럼 적게
살지 못했기 때문 아닐까요.

절 처마 걸려 있는 풍경 속의 물고기
바람맞으며 청아 소리 나고
절 종각 달려 있는 속 빈 나무 물고기
두들겨 맞을 때 소리 나는데

그대

피해지지도 않는 것
피해 다니기만 하며
눈 뜨고 있다고 하니
　―「눈 감은 물고기들」

불가에는 사중사물(寺中四物)이 있습니다.

범종(梵鐘), 법고(法鼓), 목어(木魚), 운판(雲版)을 말하지요.

모두, 사람들이 도구를 사용하여서 소리를 나게 합니다.

범종은 큰 나무를 매달아 왔다 갔다 하며 치고, 운판은 매달은 쇠판을 작은 나무로 쳐서 소리를 내며, 법고 역시 작은 나무로 북 소리를 냅니다. 목어는 큰 나무 물고기의 배 속에, 나무 막대를 쳐서 소리를 내지요.

사중사물 이외에 손에 쥐고 치는 작은 목탁은 목어를 간단히 하여 만든 것입니다. 이 목어가 물고기 모습을 하는 것은, 물고기는 항상 눈을 감지 않는 것, 즉 **수행자는 늘 깨어 있어야 한다**. 는 것을 상징하지요.

가톨릭에서도 종교 예식에 종을 사용합니다. 종교의식의 때를 알리기 위함이지요. 가물거리는 나이가 되어서 그런지 어렸을 때 기억만 생생합니다. 어렸을 때 성당 복사를 하였었습니다. 새벽 미사 때는 반감은 눈으로 거의 졸다가도 성찬전례에 들어가면, 정신을 바짝 차려서, 언제 사제가 손을 올리고 내리나를 지켜보던 그 초롱초롱한 기억 말이지요.

이렇게 고사리손으로 치던 그 종소리와는 다른, 먼 곳에서 들리는 종소리에 호기심이 갔던 기억도 납니다. 그 소리는 먼 산에서 들릴락 말락 가끔 들려오던 종소리였지요.

푸릇한 호기심의 이 종소리 하나를 따라 산사에 갔었습니다. 깊은 산에 들어섰더니, 들리던 범종 소리는 어디로 가버리고 말았는지 들리지 않고, 범종 대신 가운데 쇠 물고기가 대롱대롱 매달린 풍경 소리가 들렸었습니다.

풍경은 바람이 소리를 내게 합니다.

바람이 미미하면 물고기가 그냥 빙빙 돌며 소리를 내지 못하지요. 그러나 바람이 서서히 세차지게 되면 명쾌한 소리를 내게 됩니다.

그때의 그 소리를 기억해 보면, 마음 구석구석에 켜켜이 뽀얗게 쌓여 있던 먼지가 풀풀거리며 날아다니는 모습이 보입니다.

누더기 세월 속, 삶의 티끌에 쌓여 보이지도 않던
그 먼지가 보이는 것을 보면 종소리의 힘은 크기만 합니다.

그 종은 얻어맞고 두들겨서 쳐질 때 맑은 소리를 냅니다. 가시 박힌 바람이 모질게 채찍으로 내칠 때마다 나는 그 종소리.

무엇을 그리고 누구를 정확하게 이해하려는 방법은
단 한 가지. 그 누구, 그 무엇이 되어 보는 것입니다.

그 종은 맞을 때마다 얼마나 아프겠습니까?

그 아픔의 소리, 고통의 소리, 비명의 소리가 바로 종소리이고, 고

난의 통곡이 바로 종소리입니다. 그래서,
　　　종소리는 사람의 마음에 깊숙이 박히지요.

　세상에 바람이 없길 바라는가
　말도 안 되는 소리
　나만 바람맞질 않길 바라는가
　말도 안 되는 소리
　바람 속 다시 없길 바라는가
　말도 안 되는 소리
　바람 다시 오지 않길 바라나
　말도 안 되는 소리
　　－「말도 안 되는 소리」

　바람맞아 공이가
　종을 쳐 댄다
　누구 들으라고

　사람 바람맞으며
　맑은 영혼이
　마음 깊숙하게
　　－「종소리 울음소리」

　풍경소리 퍼져라
　멀리 멀리

　맞으며 맑은소리

깊숙 깊숙이
   −「마음속 종소리 바람 소리 없는 그대에게」

바람맞으며 풍경소리 맑구나
누가 또 고난 속 구원되나니
               −「고난 속 지혜」

고난 속에서 **ㅎㅎㄱㅌ ㅁㅎㅆㅈ** 이 운명인 인간 마음속에, 종소리는 큰 의미가 있습니다. 사람에게 닥치는 고난은 찾아오는 시기. 크기, 모양이 각기 다르지요. 이렇게 제각각의 다르게 덮치는 고통에 전전긍긍하며 어느 정도는 적응하여

면역이 생길 만하면

이 면역이 듣지 않는 신종 변종 고통이, 집골목 길 가로등 빛 안 드는 구석에 보이지 않게 잠복하여 있다가, 갑자기 튀어나와서 사람들에게 달려듭니다. 목을 조이고 머리털까지 저절로 꼬이게 뒤틀고요.

사람이 죽으면서 평안한 모습을 보이는 것은 아마도 이런 꼴, 저런 짓 더 이상 겪지 않아도 된다는 '마지막 확실한, 안도의 모습'이 아닐까요?

   어차피 사람은 살아 있는 안, 고통을 피알 수가 없습니다.

   인간은 어디든, 길을 뚜벅 뚜벅 걸어가야 하는 쫀째입니다. 가고 있는 길 어귀에 버티고 있는 고통을 용케도 피한다 해도, 다른 길섶에 못 보던 고통이 야릇한 미소를 띠고 버티고 있게 마련이지요.

   고통은 못된 속성이 있습니다. 고약한 속성.

그것은 고통 주체가, 당하는 객체를 못살게 굴 때,
객체가 괴로워할수록 쾌감을 느끼며 즐긴다는 겻입니다.

그래서 '고통이라는 야수'는
　　고통을 만나 두들겨 맞을 때 이를 당연하게 여기는 노련한 사람
에게는 　　　　　　　　고통이 재미를 못 느끼고, 떠나가며
　　고통이 찌른 소리에 고통스럽다, 아프다며 점점 더 큰 소리를
지르면서 　　　　　　　괴로워하는 사람을 즐겨, 찾아가게 됩니다.

**　　　이겻이 고통의 속성입니다.**

　　하루의 새벽을 작은 종으로 맑게 울려 보시고, 합장으로 깔
끔하게 시작하여 보시지요. 종에 매달린 눈 뜬 물고기의 말간
'법어 속의 진리'가 보입니다.
**　　　내가 눈을 감고 지내며**
눈뜨고 있다고 착각하는 모습이 보인답니다.

그대 올해도
동백 폈다 진지
삼 주 지난 것 모르고
이화 폈다 진지
이 주 지난 것 모르니
　　—「올해도 삶이 펴질 리가」

다섯 쪽 그렇게 다섯 쪽들 모여
하얀 하늘 만들다 갔다

삼 주가 지났다 벌들 클래식 윙윙 축제 모르고
서릿발 칼날 다 녹이고 그렇게 간 지 이십여 일

모르면 그렇게 간다
얼은 그대로
　－「봄은 아무에게나 오는 것이 아니다」

　한국에는 봄이 왔다는 소식을 전해주는 꽃들이 여럿이 있지요.
　매년 이월 초 제주에 매화가 폈다는 소식을 시작으로 사람들의 마음속에 수채화를 차례차례 그려 넣는 꽃들이 있습니다.
　매화는 이른 봄, 눈 속에서 제일 먼저 피는 꽃이라고 해서 흔히 설중매라고도 하지요. 제주는 1월에 핍니다. 매화뿐만 아니라 동백, 목련, 개나리, 진달래, 벚꽃에 이르기까지 봄꽃들이 개화할 때, 세상까지 여러 다른 색으로 화사하게 열리며 온통 꽃 축제입니다. 2, 3월 강수량과 기온에 따라 약간 차이는 있지만 개나리는 3월 중순에 서귀포를 시작으로 4월 초 서울까지 올라오고요. 진달래는 개나리보다 약간 늦게 강원산골까지 올라와 진분홍 불을 전 국토에 놓게 됩니다.
　고국은 그렇지만, 남가주에 살면 사계절 변화를 실감이 나게 느끼며 살기가 쉽지 않지요. 아직 아침저녁으로 창문 열어놓기가 추운 것 같은데 어느샌가 봄은 '껑충' 건너뛰고 여름이 오는, 그런 식 날씨에서 살기 때문입니다.
　하얀 이파리 다섯 쪽, 봄 전령 배꽃이 언제 피었는지 기억나시나요? 어떤 향기이던가요? 언제 지기 시작하던가요? 언제 배꽃 나무 밑에 의자 놓고 앉아 시집이라도 읽어 보신 적 있으신가요? 배꽃 축제 아래 누워 하늘이 온통 하얗게 가려진 것을 느껴 보셨나요? 배꽃을 오가는 벌들이 무엇이라고 하던가요? 결코 검을 수 없는 늦은 밤,

떨어진 배꽃 융단 윗몸을 뽀얗게 누이는 보름달 빛을 보시며 미소 지신 적은요? 이런 질문들에 답변을 하나도 못 하시는 분 계신다면….

겨우내 참다가 하얀 화장 하고 나서며 배시시 웃어 본 배꽃들은 이분에게 섭섭해하며 이렇게 말할지도 모르겠네요. **"그대 삶에 봄은 언제 올까요?"** 라고요.

곁눈질 못하도록 눈가리개를 하고 달리는 말처럼 앞만 보고 달려야 하는 이민 생활을 까치발로 '콩 콩' 뛰다가, 하얀 머리마저 '숭숭' 소리 내며 빠지거나 갑자기 기운이 푸욱 꺼지는 느낌이 들면 누구나 지나온 자기의 삶을 돌아보게 됩니다.

그러면 제일 먼저 나오는 것이 긴 안숨이지요.

그 날이 선 성에 가시 가득한 한숨에 모든 사연이 담겨 있습니다. 행복 전문가들은 한결같이 말합니다. "오늘 지금 이곳에 머물러야 합니다."라고요.

지금 한창 봄꽃 축제입니다. 나이가 들어서도 사계절이 바뀌는 것을 못 느낀다든지 못 즐기며 살아간다는 것은

평생 고생한 자기에게 너무 가옥하신 것입니다.

절대 늦지 않았습니다. 문밖이 화사합니다. 문 활짝 열고 나가 꽃을 하나하나 알아차리다 보면 사람에게서 맑은 향기가 난답니다.

확실이 봄은 아무에게나 오는 것은 아니랍니다.

꽃

하늘 향한 향기로운

꽃송이 피우기 위해
그저 이것만 하는데

인간

이 빼고 다른 짓만
골라서 골몰하면서
입술로만 글자로만
　－「꽃 같이 되려 하다니」

켜켜이 껴입은 겨울이 옷을 하나둘 벗어 던지고 떠나간 자리에는
　노랗고 빨갛고 파랗고 하얗고 아름다운 꽃들이 하나둘 자리하고
있습니다.　　　봄 - 하면 누구나 꽃을 생각하게 됩니다.
　　　　　꽃 - 하면 모두 아름답다고 감탄합니다.
　　　　　꽃 - 하면 사람들 향기가 어쩌면 이렇게 좋을 수
가 있냐며 찬사를 보내 줍니다.

　꽃 - 꽃은 꽃을 피우는 일 이외는 아무것도 하지 않습니다.
　꽃은 꽃을 만드는 일,
　꽃을 피우며 그 꽃에서 향기가 나게 하는 일. 그것 하나를 하기 위
하여　　　수시로 덮치는 바람, 그 바람결에 맞추어서
　　　　비틀 비틀 거리면서도　　　위청 위청 거리면서도
　몇 시간 못 버티어 주는 태양마저도 산허리에 걸리다 넘어져 젖혀
버려　　　빨리 오고 마는 밤　　　그리고 더디게 오는 새벽 내내

꽃은   오들오들 떨면서도
        오로지 하나만을 합니다.

꽃 피우기.

자기의 향기
자기다운 꽃 피우기

사람들은 꽃을 보면서 감탄하지요. 아 - 어쩜 너는 그렇게 아름다우니? 와 - 너는 정말 향기까지 있으니 이 세상에서 제일 아름답구나! 그러면서 나도 꽃 같은 사람이고 싶다고 소망을 합니다.
인간들은 하나는커녕 - 하루에 그렇게나 많고도 많은
오만여 가지 생각을 해 가면서 말이지요.

그러니, 인간이 잘될 턱이 있습니까.
그러니, 인간이 꽃이 될 리가 있나요.

한 달이나 향기롭던
등나무 꽃 지며
나보고 이젠
같이가자 하고

바닷가에 나서면
넘나드는 파도
나보고 이젠
맞서지 말라고

낮은 산에 올라도
시원한 바람들
나보고 이젠
내려가라 하고
　　―「만나는 것마다 나보고 뭐라 하네」

자연이 주는 메시지는 항상 같습니다. **-- 나를 살리려는 메시지**
들에 나가면 그 많은 야생 꽃들이
강가에 이르면 굽이굽이 흐르는 물이
산에 오르면 바람과 구름 그리고 나무들이
바다에 나가면 파도 밀려오며 하는 말 모두
　　　　　　　　　　　　　-- 그저 일링의 메시지입니다.
행복하여라
자연의 소리
자연의 손짓
자연의 몸짓을 알아채는 사람들

불행하구나
나무의 소리
꽃들의 손짓
나비 몸짓 알아채지 못하는 사람
　　―「불행과 행복 사이」

　낡은 뒤뜰에 등나무 두 그루 때문에, 새벽 창 열기가 기다려지는
나날이 한 달이나 되었습니다. 처음 꽃필 때는 멀리까지도 향기가 자
욱하더니만　　　　　- 그 생명력 -

길기만 한 등나무꽃도 시간이 점점 지나며 꽃은 그대로이지만 향기가 점점 희미해지기만 하는 것을 보며 숙연해지기까지 하였습니다. 한 달 정도 되자, 꽃 가까이 가서 코를 들이대어야 간신히 '어쩌다 향기'가 납니다.

사람들도 마찬가지가 아닐까 하는 생각에 이르니, 나이 드는 것이 설거지하다가 '덜커덕 쨍그랑' 그릇 깨트려 먹듯 겁이 났습니다.

향기 나지 않는 인간.

'어쩌다 향기' 도 내지 못하는 인간

가까이 코를 들이대어 자세히 보아야 향기 가락이 잡힐까 말까 하는 인간.　　　그마저 한 달이라는 유효기간이 지나면

더 이상 꽃이 아닌

고통의 겨울이 지나고 꽃이 피는 사연을 깊이 깨닫고 ☞ 고통의 겨울로 돌아가면

그렇게　　　　　　　　**아픔의 초심에 서 있다면**

언제나 어디서나 꽃 피울 수 있는

향기 오른 인간이 되지 않을까요.

어떤 나뭇가지든지
꺾어보라 마구마구

아무리 꺾어보아도
그 꺾은 자리 비켜
어느새 새 가지들
자라고 있을 것이니
　－「꺾어도 꺾여도」

ㄲ   ㄲ
   ㄲ   자를 보고 있으면 꺾어 버렸던 내가 시커멓게 보이고
ㄲ   ㄲ
   ㄲ   자 느끼고 있노라면 작은 마디까지 꺾어졌던 나 떠올라
      ―「내 깊은 속 쌓인 ㄲ 자」

겨울 내내 이런 바람, 추위 내내 저런 바람에 시달리며 부러진 나
뭇가지들   아무리 부러트리고 - 심하게 잘라내어도
      새봄이 되면 그 부러진 자리를 비켜서 새 가지가,
                바람을 비틀며 자라납니다.
가지의 끈질긴 DNA가 심술궂은 바람을 이기고 말이지요.

            모질게 꺾인 가지 위

         새 한 마리 앉았구나

      ―「파랑새 앉는 자리」

이렇게 우주의 중심을   -   생명을 지키고 있는 나무는
                  이런 모습을 꾸준히 지키며 살아왔습니다.
그러니 - 자연의, 우주의 일부인 우리 인간들도 나무에서 배워야
합니다.   누가 팔을 뒤에서 비틀어도   - 믿었던 그가 다리 걸어
진흙탕 속으로 내동댕이쳐져 넘어져도 - 너무 아파하지 마세요.

이 사람이 떠나면

      다른 사람이   **오고**

      이 일이 떠나면   **다른 일들이 오고**

상처는 낫습니다. 가만히 놓아두어도 말이지요.
나뭇가지는 또 납니다. 가만히 놓아두어도 말입니다.
꺾었던 일도   꺾였던 일도
그냥 가만이 놓아두시면 그 자리에 꽃 피어납니다.

씨앗 보라
  ―「그게 너다」

씨앗 한 알 놓고 들여다보십시오.
그곳에 진리가 있습니다. 그 속에 내가 보입니다.
자기 자신을 아는 것
얼마나 높은 경지의 수행입니까.
나 그리고 나의 선조가 생성된 곳
    ⊙ 내가 왜 고통을 받게 되며 ―
    ⊙ 이 상처들은 무슨 의미가 있는가.
    ⊙ 내가 어떻게 치유를 할 수가 있는가.

툭 꺾이는 작대기에서 동백꽃이
피었다고 세상은 깜짝 놀랐었습니다

아직 언 막대기에서 배꽃들이
피었다고 온 세상이 환호했었습니다
  ―「막대기 같은 세상이 아닌 옛날에는」

이런 - 그것들을 묵상하면서 - 겨우내 얼고, 몇 달을 배배 꼬여 조그마한 바람만 불어도 '투둑' 거리는 소리를 내며 부러져 땅에 이리저리 굴러 다니던 남가주의 나무들을 바라보노라면, 나뭇가지들이   막대기 - 작대기로 보입니다.

이런 죽은 장작 같은 곳에서 꽃망울이 생기는 것을 보고
          '놀랍다'라고 깜짝 놀라는 사람을 보기가 드물지요.

한국에서도, 미국에서도, 세상 곳곳에서 사람들을 놀라게 하는 일들이 매일 매일 다양한 장르로 쏟아지고 있는데, 꽃망울이 생기고, 그것이 점점 자라 꽃향기를 뿜어내는 것을 가만히 들여다보며
          '놀랍구나. 놀라워' 하는 사람도 별로 없고,

심지어는 '경이롭구나.'하며 매년 놀라는 시인도 잘 안 보입니다.

그래서 세상은 찬 성에 온몸에 칭칭 감고, 얼은 채로 굴러갑니다.

그래서 시인들도 **막대기 같은 시**, **작대기 같은 시** 만 쓰고 있습니다.

세상은 점점 더, 진정으로 아름답고 경이로운 것과 높은 담을 쌓아
가며   **아루아루 죽어가고 있습니다.**

지금 그대가 무심코 꺾은 꽃은
이백팔십오일 나뭇잎 붙잡다가
열흘째 마지막 잎새 내어주고
육십오 일간 날선 눈 속 떨다가
삼 일간 피었었고 더 피었어야
했던
바로
그 꽃
   ―「꺾이고 만 그대」

봄이면 – 사람들이, 우르르 몰려다니며 꽃을 꺾습니다. 머리에 꽂다가 버리고 – 손에 들고 휘휘 돌리다가 버리고 – 아이들 작은 손에 졸리다가 애들 고급 브랜드 신발에 차여 쓰레기 되어 버려지고

그 꽃 하나 피기 위하여
해와 달이 손을 잡고 며칠을 뜨겁게 기도하였으며

그 풀잎 하나 흔들어 살리기 위해서
바람이 그렇게도 아침저녁으로 너울너울 정성껏 싱싱 불었습니다.

함부로   꽃 꺾지 마시지요.
아무렇지도 않게   풀 밟지 마시지요.
그대 영혼도 꺾이고 밟혀 나가는 줄 알아야 합니다.

하늘도 허옇고
땅 끝자락마저 하얀 날
눈발 한 모퉁이 빛 한 자락
                        ─「동백이구나 동백」
고난과 절망의 그 모서리 끝
진 적색 겹겹이 포개져
맑은가 향기

까만 눈이 차갑습니다.
사람들의 눈길도, 눈빛도 싸늘하게 차갑기만 합니다.
하늘을 올려 보면 하얗지 않고 까맣게도 보이는 눈. 사람들의 마음속을 들여다보면, 선하지 않고 악해 보이기만 할 때가 많지요.

까만 눈 쏟아진다
봄인데
하얗다고들 하는데
봄인데
ㅡ「봄이 까맣구나」

그렇게 날씨 기상도
　사람 마음 심상도　　　차갑기만 하고　　　　어슷하기만 한 날
절대로 그러지 않을 것 같은데 그 잿빛 하늘 사이로 한 줄기 빛이
보입니다.　　　　　　　신기하게도 말입니다.
　켜켜이 쌓인 눈 사이로 보이는 산등성의 빨갛고도 빨간 꽃 한 송
이.

동백꽃입니다.

이 동백꽃은 향기가 없다고 알려졌지요. 그러나 몇 종은 향기가
있습니다.
세상살이가 울퉁한 고통과 불통한 실의의

뾰쪽 돌길 맨발로 걷기　　　인 것이 맞기는 하지만
진정성 있는
인간미 있는　　　　사람을 찾아보기가 너무도 힘들지만
신기하게도　　　　한 줄기 빛처럼,
희한하게도　　　　한 송이 동백처럼
　　　아주 가늘지만　　　　　　매우 드물지만

환하게, 그윽이 ㅡ 두툼한 잎 동백꽃 같은 사람을
까만 눈발 속에서 볼 수도 있는 것이 세상살이이기도 합니다.

그대 아직 눈 저리도
하얗게 노려보고 있는데
새빨갛게 피어오른
동백꽃 보며 탄식하는가

이 동토 세상에 어디
동백 같은 사람 있을까
이 살벌 살얼음 삶에
꽃 같은 이 있기나 하나
　－「스스로 동백꽃 되시게」

이런 사람을 하나라도 곁에 두고 싶다면

**　　　　　　내가 스스로　　　　동백꽃이 되면 됩니다.**

먹어도 먹어도 얼마 안 되어 또 먹는
그 멍청한 이 할 수 없이 다시 먹이다
자신도 지저분하다

밥그릇 기름기 국그릇
올망졸망 그만한 접시
넓적이 퍼진 숟가락
뾰족하게 긴 젓가락
모두 더러워져 있다

남을 먹이고 나는 더러워진다
그것 성자나 하는 일 아니더냐

32

너 때문에 더러워진 이 앞에
그대 양심 한 가닥 남아있다면
―「설거지 수행 I」

불가에서 쓰고 있는 수행의 종류는 여러 가지입니다.

* 염불(念佛)

말뜻대로 부처님의 모습을 쉬지 않고 마음속에 집중하는 수행 방법입니다. 염불의 종류는 부처님을 생각하는 법신염불, 부처님의 공덕을 생각하는 관념염불, 부처님을 입으로 부르는 칭명염불이 있지요. 염불은 입으로 통성하는 것보다는 일념으로 마음속으로 부르는 것이 좋은 것으로 되어 있습니다.

큰소리를 내서 하는 고성염불에는 열 가지 공덕이 있다고 합니다. 즉, 고성염불 십종공덕(高聲念佛 十種功德: 能排睡眠, 天魔驚怖, 聲遍十方, 三塗息苦, 外聲不入, 勇猛精進, 諸佛歡喜, 念心不散, 三昧現前, 往生淨土)입니다. 수면을 줄여주는 공덕. 천마(天魔)가 놀라고 두려워하는 공덕. 염불 소리가 온 사방에 두루 퍼지는 공덕. 지옥, 아귀, 축생의 삼도(三途) 고통을 쉬게 하는 공덕. 다른 소리가 들리지 않는 공덕. 염불하는 마음이 흩어지지 않는 공덕. 용맹하게 정진하는 공덕. 모든 부처님이 기뻐하시는 공덕. 맑고 밝은 마음이 뚜렷하게 나타나는 삼매의 공덕. 염불 수행자가 죽은 뒤, 정토(淨土)에 가서 태어나는 공덕이라고 합니다.

* 선(禪)

마음을 고요히 한다고 하여 정(定)이라 하기도 하고, 선정이라고도 합니다. 이런, 참선의 방법에는 간화선(看話禪)과 묵조선(默照禪)이 있지요. 우리나라 선종의 대표적인 선법인 간화선은 화두를 들어 참선합니다. 묵조선은 묵묵히 비추어 봄으로써 마음자리 본래 그대로의 본체를 그저 있는 그대로를 비추어 보는 참선 방법이지요.

* 기도

매일 일정한 시간을 정해놓고 경전 봉독을 한 후에, 자기의 발원을 하고 이를 성취하기 위한 수행 방법입니다. 기도는 자기 자신의 죄업을 참회하는 것을 전제하여야 하는데 그 기도의 방법으로는

108 참회문 독송과 함께 1,080배, 3,000배를 하면서 탐욕(貪慾 lob ha), 진에(瞋恚dosa)와 우치(愚癡 moha) - 탐욕은 본능적 욕구와 탐내어 구하는 것, 진에는 뜻에 어긋날 때 타오르는 증오심과 노여움, 우치는 사려분별에 어두움. - 즉 탐(貪), 진(瞋), 치(癡) 삼독(三毒)으로 지은 죄를 뉘우치고, 감사하는 마음으로 보리심을 내는 데 목적이 있습니다.

* 독경

어느 한 경전을 정해놓고 소리 내어 읽는 것을 독경이라 합니다.

* 간경(看經)

경전을 읽는 것을 말합니다. 경전을 큰 소리 내어 외우는 독경과 달리 눈으로 마음을 다해 읽는 것을 말하지요. 소리 내지 않고 경전을 묵독(黙讀)하는 것입니다.

* 진언 또는 주력呪力

주술적인 주문으로 오해받기도 하는 문자나 언어를 빌려서 표현하는 밀주(密呪)를 가리켜서 진언이라고 합니다. 〈반야심경〉의 아제 아제 바라아제 등 대승경전 곳곳에서 진언이 나타나고 있지요. 이런 여러 가지 수행 방법은 마음을 먼저 안정시키는 명상이나 호흡 수련이 기본이 되어야, 제대로 된 수행 효과가 나오는 것으로 되어 있습니다.   그런데, 이런 방법들 이외에도

일상생활에서 할 수 있는 수행 방법은 얼마든지 있습니다.

즉 설거지 수행, 걷기 수행, 꽃향기 수행, 독서 수행, 그림 수행, 음악 수행, 식사 수행….

이러한 수행의 목적은 무념(無念)입니다.

무념을 방해하는 잡념, 망념을 끊기 위해서는 한 곳에 정신 집중을 하는 것이 제일 중요한데 이 목적을 달성하기 위한 수단의 으뜸은,
자기 본인 스스로 제일 잘 맞는 방법을 택하여
꾸준이 수행하여 그것을 자기의 것으로 습관화하는 것입니다.
마치 속옷을 입고 있듯이 말입니다.

수행을 자기의 옷처럼 항상 입고 있으면
평온함을 느끼게 됩니다.

그 평온함이 이어지면
왕올암을 경험하게 되고요.

그 왕올암을 느끼게 되면
� 저를 두히 ㅜㅌ해ㅎㅜ 처랟ㅎㅇ 햟ㅜ 깨ㄱㅏ

설거지 수양, 하나만 예를 들겠습니다.
집안 식구들이 식사한 후에 설거지통에 쌓인 식기류를 사진을 찍어서 보십시오. 그냥 보아도 그렇지만, 이를 사진을 찍어 두고두고 보면, 그것이 어쩌면 그렇게도 사람들 살아가는 모습과 그들의 마음속을 들여다보고 있는 것 같은지요.

설거지통 널브러진

기름 범벅 올망졸망 그릇
고춧가루 물은 수저 가락
먹다 남은 음식 쪼가리들

세상살이 통 널브러진

세상 때 찌들어진 가장
집안 살림 범벅된 엄마
경쟁에 내몰린 아이들
　　―「설거지통 속 가족」

그릇그릇, 식기류마다 온갖 오물이 붙어서
아무렇게나 나뒹굴고 있는 더러운 식기들이 하루에 세 번씩이나
쌓이게 됩니다. 하루에 세 번씩이나 깨끗이 닦아야 하고요.

집안 식구들 생명 부지하는 데에도 이렇게 힘든데, 설거지는 여기서 그치지 않습니다. 집안에 손님들을 초대하여 식사를 대접하고 난 후의 그 식기들은, 그것을 보는 것만으로도 몸이 '스르르' 기운 빠집니다. 더 심한 것이 있지요. 교회 미사 후에 친교 모임에서, 교우들이 먹고 난 후의 식기들입니다. 이것은 그야말로 작은 동산만 합니다. 대형 냄비, 대형 식기, 대형 밥솥, 몇백 명 먹인 그릇들과 그 숫자에 맞는 수저들. 이것들을 그저 멍하니 바라보고 있으면, 저것들이 깨끗이 정리된다는 것이 불가능해 보이지요.

하지만 - 하나하나 그것을 씻어나가다 보면
아무 생각 없이 더러운 것을 닦다 보면
가지런히 정리되며 깨끗해지는 모습을 보면
이렇게 더러운 것을 깨끗이 닦아 나가는 것
이것이 바로 수행의 기본 덕목 - 수행 방법이 된다는 확신이 듭니
다.   **한 치의 의구심도 없는   확신만이 내 것입니다.**
몸을 살리기 위해 하루 세 번 닦아내야만 하는 설거지.
그럼 마음을 살리기 위해서는   **무엇을 아는지**
    그 무엇을 하지 않고 엉뚱하게 다른 어떤 것을 하느라
        더러워진 마음을 닦아내기 위해서
        하루 몇 번이나   **무엇을 아는지.**

쩝쩝 삼십 분
다섯 시간 뒤
또 쩝쩝 후루룩
그리고 또 다섯 시간 뒤
냠냠 쩝쩝 쭙 쭙

삼시 세끼 먹는 놈
삼시 세끼 굶는 놈
  -「몸 그리고 마음」

7시.   아침 먹기 위해 무엇을 준비하시나요?
30분 정도   먹기 위해 시간을 얼마나 쓰시나요?
그렇게 먹고 나서 설거지하는데 시간은 얼마나 되시고요?
준비를 오래 하고, 마무리 시간도 제법 걸리고 해서 한 끼를 해결

합니다. 한 끼를 해치우고 나서 5시간도 안 되어 또 위와 같은 과정을 겪어야 합니다. 외식하면 시간은 조금 절약되기는 하나 그래도 복잡하기는 마찬가지입니다. 집이나 직장 그리고 학교를 나와서 일부러 수고스럽게 시간을 소비하여서 식사하러 나가야 하고요.

이렇게 하루에 3번이나 같은 과정을 하여야 목숨이 따뜻하여집니다.   그것도 매일 매일

어떤 때는 비참한 생각이 들 때도 있었습니다.

이렇게 매일 매일 **먹어야 사는 존재밖에 안 되나** 하고요.

하지만 사람은 이렇게 해야 살 수 있도록 창조되었습니다.

식물이 살기 위해서는 물, 양분, 햇빛이 있어야 하듯이

동물이 살기 위해서도 어떤 먹이를 먹어야 하듯이

인간도 생명을 지탱하는   **몸을 유지하기 위해서**

이렇게 많은 공을 들여야 살아남을 수가 있습니다.

                      그럼   **마음을 유지하기 위해서**

하루에 무엇 무엇을 하시나요?

몸을 움직이게 하는

몸의 주인 격인 마음이, 생명력을 갖고 살아남아 있게 하려면

무엇을 하는지? 아침, 점심, 저녁 때 무엇을 하는지?

하루에 한 번도 못 하면서 마음이 건강히 살아남기를 바라는 것은 무리입니다. 몸은 하루에 세 번씩이나 시간과 정성을 다하여 먹고

게다가 스트레칭, 근육운동, 유산소, 균형 운동까지 하고 그러면서

도대체 마음을 위해서는 무엇을 하시나요?

마음이 불안하신가요? 마음이 괴로우신가요? 외롭고, 우울하신가요?   **마음이 살아남을 수 있도록,**

            마음이 건강히 살아갈 수 있도록,

마음의 근육, 심근이 튼튼해질 수 있도록,
하루 세 번 수양 정진하여야 합니다.

몸에 들이는 공

그 정도 정성으로

딱, 그만큼 수양하여야

그래야　　　**마음이 불안하지 않습니다.**

그래야　　　**마음이 괴롭지 않습니다.**

그래야　　　**외롭고, 우울하지 않습니다.**

깊은 산길
신선 야생화
무릎 꿇고
자세히 보아야
보이는
　　ー「야생 행복화(幸福花)」

남들보다 더 어둠 속 추웠고
다른 이들보다 더 짐승에 스쳐

찾으려 쫓아다니는 자 못 보고
무릎 꿇어 알아차리는 자만 찬란함을
　ー「산중 심곡 야생화」

야생화는 들에도 피고, 강가에도 핍니다. 낮은 동산에도 피지요.
바다 절벽에도요.

이렇게 사람들 눈길이 닿는 곳에 피는 꽃들은 이름도 제법 알려져 있고, 당연히 많은 사람이 이름까지 지어주고 반갑게 알아보기도 합니다.   그렇지만, 깊고도 깊은 산속 깊이 들어가면
       못 보던 꽃, 당연히 이름도 잘 모르는 야생화가 보입니다.
  겁나는 짐승들의 무서운 이빨이 서로 오가며 이 가는 소리가
  뽀득거리는   긁는 소리가 난무하는
때로는, 그 아무것이나 밟아 버리는 발길들에 스쳐 이파리 꽃잎 찢겨가며   어느 곳보다도 길고 긴, 그래서 더욱 짙은 밤을 지내며
     외로움은 사치라 빛바랜 듯
     두려움 그러려니 고개 떨궈   그래서 심곡 산중 야생화는
  외로움과 두려움으로 단련되어 찬란   합니다.
  작을수록 창연하고 찬란한, 이 야생화들은 눈에 잘 안 띄는 특성이 있습니다.
     그 찬란함은   **무릎을 꿇은 진실한 자에게**
             진정성 있게 자세히 보는 자에게만
                자기의 모습을 보여 줍니다.
        행복은 그렇습니다.
        행복은 겸손한 마음으로 모든 것을 내려놓고
        행복을 잡으려 쫓아다니지 말고
             곁에 있는 행복을 알아차리는 자에게만
     산중 심곡 야생화처럼 환한 얼굴을 보여 줍니다.

  빨간 꽃들
  노란 나비

  파란 사람
  빨간 인간

모두 본색은
　─「그림자 색이라네 그림자」

〈본색을 드러낸다〉라는 말을 많이 하지요.
'가려졌거나 보이지 않던 자기 본연의 색깔을 보이게 하다'의 뜻
이겠지요.
　　　　사람들은 누구나 가면을 쓰고 산다　　는데 동감하시나요?

빨간 가면 그림자는 까맣다
파란 가면 그림자도 까맣고
　─「가면 안 써도 까맣다」

로버트 루이스 스티븐슨의 '지킬 박사와 하이드(Strange Case of
Dr. Jekyll and Mr. Hyde)'는 인간의 이중성을 잘 보여 준 작품으
로 평가받고 있습니다. 이런 문학작품은 사람이 자기 자신을 성찰하
기에 좋은 기회를 주지요.

산을 오르내리다가 보면 야생화가 한창입니다. 노란 꽃도 그림자
는 검은색이고, 빨간 꽃도 그림자는 검은색입니다.
　　　　　　꽃들의 본색도 검은 것　　　　　　은 아닐까.
　　사람들의 겉모습이 아무리 좋아 보여도 속의 본색은 검은 그림자
가 아닐까 하는 생각을 할 때가 자주 생기는 것이 안타깝습니다.

사람이 나이가 들면서, 진실하고, 너그럽고, 선하여야 하는데
나이가 들면서 점점 검은 그림자 본색을 드러내는 모습을 자주 접

하게 됩니다. 여기에다가 나이가 들수록 판단력마저 떨어지고, 아주 사소한 아무것도 아닌 일에 화 벌컥 내고, 툭 하면 삐지는 사람들이 어렵지 않게 보입니다.   이런 추한 노인이 되지 않으려면
          그림자같이 애매모호한 색 지니고 살지 않으려면
          정신 바짝 차려야 합니다. '바 아 싸 아 악'이요.

툭
예수가 밀려 나가네
빨간 원수 힘에 밀려
툭
그 놈 밀려 나가네
하얀 예수 힘에 밀려
    ─「툭, 마음 스위치 하나에」

기도합니다.
기도하면 예수님이 보이지요. 성모님도 보이고 그럽니다.
그런데 기도 도중에 갑자기 그 보기도 싫은 원수의 발길질에
                    예수님이 힘없이 밀려납니다.
        기막힌 일이지요.   **기가 '딱' 찰 노릇입니다.**
손에 칼을 든 그 뿔난 원수는 한동안 내 마음속의 점령군으로 주둔하는 것도 모자라 다른 원수의 손을 잡고 들어와서 마음속에
        지옥 불을 지르고   도끼질과 칼질을 하고
        아스라한 검은 재를 풀풀 뿌립니다.
그러다가 다시 예수님의 장풍에 이 모든 것들이 한순간에 밀려나갑니다.   그런데 이런 성스러운 장면도 오래 못 갑니다.
또 머리 가운데 뿔난 놈.   몸 뒤에 뿔이 거꾸로 난 놈.

별놈들이 다 나와 예수님을 또 몰아냅니다.

나이가 이 지경쯤 되다 보니, 친구 중에 수녀원 원장 은퇴 수녀님이 있습니다. 서로 시도 주고받고 하며 마음을 활짝 열고 이런저런 이야기를 하는 사이입니다. 이런 사이라, 이런 문제를 갖고 솔직히 대화하지요. 수녀원 원장 출신도 마찬가지로, 이렇게 기도 중에 수시로   잡념으로   상념으로   괴로워하고 있었습니다.

사람은 다 마찬가지입니다. 사람은 여기가 저기고 조기가 요기입니다. 탁! 스위치가 올려지면 부처님이.
탁! 마음의 스위치가 내려지면 마라 파피야스((魔王波旬)가….
그럼 이 스위치를 올리고 내리는 이는 누구인가?
바로 나입니다.
바로 내 마음입니다. 수시로 '바글바글' '부스럭부스럭'대는
내 마음에 따라
예수, 부처님, 악마, 마라 파피야스가 파랗고 빨간 봉을 서로 주고받으며 계주를 뱅글뱅글합니다.
이러니 마음 수련을 어찌 게을리할 수가 있습니까?
목숨 걸고 애야 하는 것이 마음 수양입니다.
스위치 하나 "탁"에 이리저리 쏠리는 자는   **가짜 나**   이고
그 스위치에 흔들리는 자를 정확히 보는 것은 **진정한 나**   입니다.
진정한 내가
가짜인 내가 스위치를 잠시도 쉬지 않고 올리고 내리며
괴로워하는 모습을 보고 가만 놓아두겠습니까?
가짜   나를 볼 수 있고
진짜   나를 볼 수 있는 자는 깨달은 자 입니다.

43

백사십팔
가슴속 녹슨 멍 없는 자
백사십팔
머릿속 구석구석 꽃밭 일구는 자
이백오십
정말 그런지 보고 있는 자

모두 거기가 거기인 바보합창단
입 열고 있는데 마음엔 빗장쇠 걸려 있네
　　－「바보라는 고백」

백사십팔 안 되거나
백사십팔 넘기거나
무릎 검은 멍 문신
발뒤꿈치 쫓아오는
감출 수 없는 수렁 실수 발자국

모두 거기가 거기인 바보합창단
입 열고 있는데 마음은 닫혀 있네
　　－「바보들의 합창」

148… 무슨 숫자일까요?

독일의 심리학자 슈테른에 의해 제안된 지능지수입니다. 천재라고 일컬어지는 멘사(Mensa) 회원은 IQ 148 이상만 가입할 수가 있지요. 상위 2%에 드는 사람들이라고 합니다.

멘사는 라틴어로 '둥근 탁자'를 말합니다. 나이, 정치적 견해, 인종, 종교를 초월한 모임이라는 뜻에서 생긴 이름이라지요. 역사적으로 천재 1위는 괴테. 다음은 레오나르도 다 빈치, 사후세계의 저술을 많이 남긴 스웨덴의 엠마누엘 스베덴보리 순으로 되어 있고 프랑스 소설가 스타르 부인이 IQ 180으로 10위이며. 아인슈타인은 IQ 160 정도라고 합니다. 물론 이 숫자들은 그들이 살아온 삶과 업적을 보고 추정한 숫자입니다.

그럼 이 천재들, 멘사 회원들은 머리가 좋아 실수 없이 행복을 누리며 살았으며 지금도 그렇게 살고 있을까요?

그렇지는 않습니다.

천재들도 보통 사람들과 똑같이 가슴속에 가시나무 틀고 움직일 때마다 아파하며 살다 갔으며 앞으로도 그럴 것입니다.

언제부터 가시나무가 자라고 있었을까
내 마음속 생채기 항상 하게 하는
바람 불지도 않는데 흔들리는 그 나무
누가 언제 몰래 갖다 깊게 심었을까
　－「자기가 심은 가시나무」

IQ 250은 되어야 세상 이치를 좀 알게 되지 않을까요?

IQ 갖고 이해가 안 되니, EQ : 감정과 느낌을 조절하는 능력, SQ : 사회적 적응력, MQ : 도덕 지수, CQ : 새로운 아이디어를 만들어 내는 능력, AQ : 유추 능력 등을 억지로 만들어 사람을 숫자로 측정하려 하지만 무리입니다.

꿈틀거리고 퍼덕이는 세상 속에 살면서 정지된 차가운 잣대로 사람을 측정하려는 자체가 어리석은 일이지요.

세상이 혼탁한 이유.

첫째는 사람들이 **자신은 어리석지 않다고 생각함** 에서 오고,

다음은 세상을 모르는 어리석은 사람들이 어리석은 얄팍한 지식으로 사람들을 가르치는 데 있으며,

마지막으로는 그 어리석음을 모르고 따르는 어리석은 사람들의 우매함 때문이라 하겠습니다.

온갖 실수를 하며 고난을 자초하며 살아가는 바보들이, 여러 소리를 내니 바보들의 합창단인 셈입니다. 자기 입맛대로 편곡된 악보를 보고 바보 지휘자의 지휘봉 아래 바보 합창단원들이 입을 벌리면서 진정성 없는 소리를 내고 있으니 화합의 향기… 피어나는 화음이 나오질 못합니다. 사랑과 자비의 악보를 보며 마음속에서는 미움, 시기, 혼란의 부글거리는 거품이 가시질 않는 것이지요.

김수환 추기경은 자기 자화상 〈바보야〉를 그리며 "제가 잘났으면 뭐 그리 잘났고 크면 얼마나 크며 알면 얼마나 알겠습니까… 그러고 보면 내가 제일 바보같이 산 것 같아요."라고 고백하였습니다. 너나 할 것 없이 우리는 모두 거기가 거기인 바보들이라는 엄중한 메시지이지요.

자신이 바보라는 것을 깨우친 사람은 자기 부족함을 알기에 말, 생각, 행동을 조심하며 살아가니 더 이상 어리석은 사람이 아닌데…

자신이 어리석다는 것을 모르는 사람은

죽을 때까지 바보로 살 것이니

얼마나 안타까운 일입니까.

밤새 떨지 않고
열매 맺는 방법

벌레 시달리지 않고
바람 흔들리지 않고
꽃 향 피우는 방법
　－「이 세상 그런 건 없단다. 애들아」

한참이나 떨어 와서 이제는 한계인 것 같은데
　　　　　그렇게나 떨었던 것보다, 더 길게 떨어야 한다니
따끔하게 물려 벌겋게 부어올라 진물까지 나는데,
　　　　　이렇게 계속 물려야 한다니
한 방향도 아니고 사방에서 닥쳐대는 바람에 이제는 뿌리까지
흔들리는데 이렇게 떨어가며, 물려가며, 바람 따귀 맞아가며 평생
을 살아가야 한다고?　이렇게 힘들게 살아가지 않는 방법은 없을까?
그런 건 없단다. 이 세상에는 말이다.
　그런 게 있다고? 물리지 않고, 떨지 않고, 바람 맞지 않고?
　그렇게 말하는 사람도 떨면서, 물리고, 바람에 눌리며 살면서…
그러니까 그게 사기지.
　자기가 사기 치는 줄 모르는 것도… 아주 질 나쁜

　　　　　새벽 나가
　　　　밤중 돌아오니
　　앞마당 꽃 언제 지고 말았는지
　　　－「꽃이 있기나 했는지」

어제도
그제도
일주일 내내 봄꽃 구경 다니다
사람들 차 소음으로 얼룩지고

집에 돌아오니 앞마당 예쁜 꽃
모두 말라비틀어진 것 보이니
　　ㅡ「꽃향기는 가까운 곳에」

집밖 봄꽃 구경 다니는 동안
아무도 봐주지 않은 앞마당 꽃
작년에도 그렇듯 말라비틀어져
　　ㅡ「나 말라비틀어지는 이유」

봄이 오면 꽃구경 다니느라 많은 사람이 몰립니다. 꽃이 많이 피는 곳은 사람을 실어 나르는 차량으로 꽃 단지 입구부터 막히고, 온갖 소음이 난무하지요.
　　꽃이 원하는 바가 아닙니다.　꽃은 사람을 위해 피지 않습니다.
　　　　　　　　　　나비와 벌을 위해 피지요.
　인간은 꽃을 키우지만, 자기네들의 열매를 위해서고요. 꽃을 자르기 위해 재배합니다. 꽃의 측면에서 보면 인간은 꽃에 천적 정도 됩니다.
　길어야 1주일 정도 갈 들판에 핀 꽃들이, 몰려드는 차들과 사람들의 소음을 어떻게 생각할까요? 벌과 나비가 오는 것을 방해하고, 때로는 꺾어가고.
　꽃구경이라는 것이 오로지 자연 속에서, 보는 이와 꽃이 조용히 깊은 교감을 하여야 '꽃맞이'가 되는데, 한 해 한해 매년 온갖 복잡함과 소음 그리고 매연 속에서 꽃구경이 이루어지고 있습니다.

꽃구경은 꽃이 피는 시기가 짧아서 당연히, 그야말로, 인파, '인간 파도'에 휩쓸려 다니다가 집에 돌아오면 '푹 – 익어 시어 버린 파김 치'가 되어 버립니다.

꽃과 1:1로 진지한 대화 한마디 못 했지요.

"와 주었구나. 올해도" "고마워. 와 주어서. 상심한 내 마음에."

"올겨울에 추웠지? 눈도 별로 없었고." "작년보다는 향이 덜한 것 같아. 무슨 일 있었니?" "어때? 보기엔? 나 올해 많이 수척해졌지? 나 힘들어. 요즘."

꽃은 〈꽃의 언어〉로 대답하지요.

꽃의 은은하고 깊은   향기로.
꽃의 찬란하고 현란한   빛으로.

이런 시간이 지날수록   **내가 꽃이 되고 마는 대화** 들.

그저 사진을 찍어서, 다른 사람들에게 꽃구경하러 어디 갔다가 왔 다고 자랑하려고 꽃들에게 핸드폰을 들이댄 것은 아닌지

– 묵상하여 보았으면 좋겠습니다.

그러느라고, 그러는 동안, 집 앞에 핀 꽃들이 향기 그윽하게 하여 아름다운 모습을 일주일이나 보이다가, 작년 재작년과 같이 상심하 여 말라비틀어져 땅에 떨어진 것조차도 모르는 것은 아닌지

– 묵상하여 보았으면 좋겠습니다.

이런 생활방식 때문에 나의 삶이 바싹 말라버려져, 누렇게 피폐하 지는 않은지   – 묵상하여 보았으면 좋겠습니다.

꽃이
며칠 만에 시들 거라며 안 필까
그래
늙어져 떨어져도 피워보는 거야
  ─「노인 불꽃」

              꽃잎 진다
          눈물 흘리는 이 없고
              새 잎 핀다
          기뻐하는 시인 없고
                      ─「인류 멸망 징조」

꽃잎 떨어지니
향기까지 사라지나

연두 새 이파리
우르르 돋아나니
  ─「꽃 진다 슬퍼마라」

꽃
겨울 내내 떨어 온 것은
며칠 있다 질 꽃 빚으려

봄 꽃 지는 걸 보고
이제야 알았습니다

나

며칠 후 흙 되는 걸
이제야 알았습니다
  ─「노인 꽃 되다」

죽은 막대기에서 꽃망울이
이파리도 없는데 꽃향기가
  ─「노인 부활하다」

사과 꽃이 제일 먼저 피었습니다
올해도 작년같이
도화 꽃이 다음으로 피어 주었지요
재작년 똑같이

내년에도 그리 피어 준다는 보장이
하얀 노인에게는
  ─「노인과 꽃」

세상에는
죽은 사람 수만큼
꽃 피는데

나의 꽃은
  ─「부활 꽃」

보아 주지 않아서
피지 않는 꽃 있다
　　　－「사람 꽃(人花) I」

망울 그대로 시들어 버리고
향기 내리다 사그라져 버려

아무도 보아주지 않으면
아무도 찾아주지 않으면
　　　　　　－「사람 꽃(人花) II」

매연 먼지 흠뻑 뒤집어쓴
흰 아스팔트 꽃

갈라진 검정 사이 흙 한줌
이슬 몇 방울로
　　　－「나도 아스팔트 꽃」

　　　　　　가시 찔리지 않으려다
　　　　　　몸에서 가시가 나와 버린

　　　한 땀 흘리지 않으려다
　　　온몸이 핏빛 되어 버린
　　　　　　　　－「장미 붉은 이유」

절실하여 맺히는
간절하여 향기 되는
　—「꽃 탄생의 비밀」

　　　　　펴도
　　　아무도 보아주지 않는
　　　　　져도
　　　누구도 알아주지 않는
　　　　　들꽃
　—「독각(獨覺) 세우고 가라 무소 뿔처럼」

남
예뻐져라 예뻐져라

남
향기나라 향기나라

무더기 무더기 모여
　—「안개꽃 도반(道伴)」

아픔 깊어지면 가시되고
가시 파고들면 눈물된다
눈물 태워보면 불꽃되고
불꽃 지고나면 장미된다
　—「장미 DNA」

아닌 것은 아니라고 가시 세우다

물러서느니 죽음이라 핏물 곧추다
    ―「장미 탄신」

가시나무에서는 가시가 핀다
누가 그랬다

가시나무에서 장미 피는 것
모두 보는데
    ―「가시 없으려 하는 그대에게」

눈물에 말뚝 박았더니
꽃이 되었다
통곡에 못을 쳐댔더니
향기 되었고
    ―「십자 나무 꽃」

꽃 떨어진 자리에 열매 잉태되고
네가 나를 쳐낸 자리 사랑 열리니
    ―「십자 나무 열매」

그만 살아야 할까
하다가
꽃들 피는 것 보다
진자리 열매 보다가
    ―「그래도 조금은 더 살아볼까」

하나의 꽃잎에서

서리를 본다
이슬을 본다

또 하나 꽃잎에서
소낙비 본다
이슬비 본다

그리고 또 본다
번갯불 천둥
차디찬 바람
　　―「꽃향기 나는 이유」

꽃은 누가 몰아내는가
몰아낸 자리에 들어서는
　　―「아가 열매」

　　　　　　　어렸을 때는
　　　　　장미꽃을 사랑했다
　　　　　이 나이 돼서는
　　　　　장미 가시 사랑하고
　　　　　　　　―「사랑의 변천사」

　　　풀잎처럼 살자
　　　바람불면 눕고
　　　　　　햇빛들면 웃고
　　　　　그늘져도 웃는
　　　　　　　　―「풀잎처럼 살자」

가벼운 이가 말했다
꽃잎은 가볍다고
실없는 이가 말했다
질 것 왜 피냐고
　　―「엄중한 꽃은 대답하지 않는다」

　　　　가벼운 나비가 꽃 찾는
　　　　이유는
　　　　꽃잎 가볍기 때문인데
　　―「무거운 그댈 누가 찾는가」

　　　　살며시 피다가
　　　　슬그머니 지니

　　　　　　꽃인데
　　―「꽃이 되고 싶은 그대여」

꽃은 향기로서 말한다
인간 거짓으로 말하며
　　―「꽃이 되려 하다니」

꽃 한 송이 필 때마다
지구 돌다가 멈추고
꽃 한 송이 질 때마다
달덩이 돌다 멈춘다
　　―「꽃이 몰고 오는 엄청난 사건」

꽃잎 색깔 보면
내가 그 색이 된다

꽃향기 맡다 보면
나 그 꽃 되고 말고
　　─「나 카멜레온」

　　　　　　꽃잎 진다
하나 둘

억울해진다
하루하루
　　　　─「살맛 진다」

꽃 노래하는 것 들린다
귀를 닫아보면
꽃이 춤추는 것 보인다
눈을 감아보면
꽃 지은 미소가 맛있다
입을 잠가보면
　　─「노래하고 춤추고 미소 지으려면」

꽃이 인간에게 주는 언어는
괜찮아 다들 그러고들 살아
우리들 사는 거 다 같거든

잊어 미안해 사랑해 고마워
　ー「네 가지 뿐인 꽃의 언어」

풀씨를 뿌리고 꽃 피길 기다리고
까만 말씨 뿌리고 열매 기다리니
　ー「꽃씨 말씨」

　　　　꽃잎 떨어지는 소리에 간 떨어지고
　　　　낙엽 떨어지는 소리에 심장 떨어진
　　　　　ー「시성(詩聖) 있었다」

주어 몇 개 뿔 달고
서술어 꼬리 비틀어
목적어 좀 휘돌리고
보어 슬쩍 뒤집어서
줄줄이 하양 바닥
새까맣게 나열해
여기저기 기웃거리며 살까

꽃잎 떨어지는 소리에 간 떨어지고
나뭇잎 떨어지는 소리에 심장 떨구며
구름 바람으로 살아갈까
　ー「시인에게 고함 I」

　　　　　그대 시를 쓰려 하는가
　　　　　지금 꽃이 되려 하는가
　　　　　　　ー「시인에게 고함 II」

58

꽃 시를 쓰려는가
꽃 향기 되려는가
　　-「시인이시여」

삼십 년 넘게 작은 뒷마당 지켜온
오렌지 나무들 약속된 대로
향기 일체히 발사한다

향기에 감겨 휘둘린 일주일
이보다 행복할 수가 있을까

그러나
그러나
　　-「그러나 앞으로 몇 번이나 더」

3월이면 매년 한 해도 빠지지 않고 놀라는 일이 있습니다.

작고도 허름한 뒷마당에서요. 뒷마당에 온통 가득한 향기가 하늘까지 휘감아 마구 흔들어 댑니다. 하늘이 흥으로 흔들리니, 하늘 아래 살아 있는 모든 존재는 축제입니다.

오렌지 나무는 3월 둘째 주에 '살짝' 시작하여 일주일 정도 꽃잎을 피면서 향기 늘 내다가 그 이후부터는 일제히 꽃 전체가 지기 시작합니다.

꽃잎이 지기 전 일주일.

주위에 벌새, 벌, 나비들이 쉴 새 없이 드나드는 모습을 보면서 '여기가 천국이구나.' '그래 여기가 극락이야.'라고 감탄하다가, 그 다음 날도 또 탄성으로 중얼거리다가 집안에 들어오기를 일곱 번…. 　　　그렇게 일주일씩이나 지냅니다.

　　　눈물겹고 가슴 뭉클하게 감사한 마음과 함께요.

그런데, 일주일이 지나 이 하얀 꽃잎들이, 잔디 반 야생화 친척이 반인 뒷마당 한 구석에 떨어지기 시작하면, 그렇게 서운할 수가 없습니다. 제일 큰 오렌지 나무 밑에는 빨간 장미가 오렌지꽃보다 조금 먼저 피었었는데, 떨어진 오렌지 작고 하얀 꽃잎 위에 제법 넓적한 빨간 장미 자기 몸들을 누이고 있습니다.

얼마나 아름다운 장면인지요. 녹색, 하얀색 그리고 빨강.

그런데　　　　　　**그러나**

이렇게 아름다운 모습을 앞으로 몇 번이나 더 볼 수 있을까 생각하면, 마음이 먹먹해지기만 합니다.

그런데　　　　　　**그러나**

이렇게 세월이 가는 것을

삶이 지는 것을

안타까워하며 일주일을 진지하게

꽃과 하나가 되는 사람은 얼마나 될까요?

이다지도　　　　　　이 지경이 된 나이에서나

안 되겠다

정말 더 이상 이렇게 살면 안 되겠다

라고 안간힘을 쓰는 안쓰러운 늙은 시인보다는

조금 더 일찍 느끼고　　조금만 더　 –　안 되겠다

정말 더 이상 이렇게 살면 안 되겠다

라고 비장한 마음을 갖는 분들이 많아졌으면 좋겠습니다.

　　　　　　정말 좋겠습니다.

■ 2월 중순부터 3월 초순 그리고 10월부터 11월까지 수목이 잠을 자고 있을 때

나무가 모양이 좋게 자리를 잡도록

60

크고 탐스러운 열매를 잘 맺도록
수명을 연장하도록
자연의 이치를 잘 아는 농부가 매년 해 주는 것이 있습니다.

날카로운 날로
가지를 치네

팔을 쳐내고 다리를 쳐내네

햇빛도 잘 들고
바람도 잘 드나들라고

아래로 뻗은
병든
가지들

잎이 나기도 전에
사정없이 쳐내네
　－「살기 위해 나를 쳐내네」

　　　　　가지치기.

가지치기는 네 가지로 나누지요.
　1. 전지
　나무의 생장에는 필요가 없는 가지 그리고 나무가 자라는 데 방
해가 되는 가지를 잘라 내는 것.
　2. 전정

나무의 모양과 개화 결실, 나무의 발육 상태를 조절하기 위해 나무의 일부를 잘라내는 것.

3. 정자

나무 전체의 모양을 자기가 원하는 대로 일정한 양식에 따라 다듬어 내는 것.

4. 정지

나무의 모양을 일정하게 유지하고 보존하기 위해서 줄기 또는 가지의 생장을 조절해 가면서 나무의 모양을 만들어 가는 기초 작업.

이 네 가지의 작업은 햇빛을 잘 보도록 하고, 바람이 잘 통하도록 하는 공통점을 갖고 있지요. 나뭇가지를 잘라낼 때는 과실수의 경우, 과일이 어느 곳에 열릴 것인가를 고려하여서, 나무의 눈 하나나 둘을 남기어 두면서 잘라 내는 것이 요령입니다.

아래로 뻗어가는 가지들.   병든 가지들.   죽은 가지들을 나중에 열매가 어느 곳에 맺을 것인가를 고려해서 쳐내는 모습에서
자연의 일부인 사람의 모습도 보게 됩니다.

매년 모든 행동이 느려지고, 정지되어 가는
그리고 새잎이 돋아나는 시점에 앞서서
희망이 사그라지지 않도록 햇빛이 잘 들게

바람이 불어 닥치는 것은 어쩔 수 없으나
그저 적당히 머물다 지나가 주도록

아래로 퇴보, 퇴색하여 가는 생각들
내가 보아도, 남이 보아도 병든 생각들
다시 살 가망이 없는 생각들과 인연들

이런 것들은 일 년에 한 번씩만이라도 과감히 날카로운 칼날로 잘라내야 합니다.　'싹뚝, 싹뚝, 싸 싸 싹 뚜 욱'

그래야　　　**나의 모양**

　　　　　　나의 열매

　　　　　　나의 수명이　　**달라집니다**.

낮달에　빨려　들어가다

마른　나뭇가지　보니

바람　한　줄기　없는데도

부러지게　흔들리고

　－「누가　왔다　갔나」

아직 봄이 멀었나.…

새벽도 지났는데 뒤뜰에 나가보니 얼굴 앞에 하얀 입김이 두리뭉실 오갑니다.　　　　**음 － 살아 있기는 하구나.**

숨 쉴 때마다, 모락모락 피어나는 입김 따라서 하늘을 올려다 보니

어젯밤 허접한 마음 달래 주던 달이, 내 모습이 짠하고 안쓰러운지 아직도 자기 집으로 가지 못하고, 저렇게 아침녘 하늘에 덩그러니 남아 있습니다.

　　　별들은 밤새도록 서로 '반짝 반짜작 짝' 짝으로 수다 떨다가

　　　　　다들 지쳐서 집에 돌아갔는데

　　　　저 달은 친구도 짝도 없이 저리 외롭건만,

　　　자기보다도 낡은 시인이 더 안 되어 보였던지

　　　아직도 저러고 있습니다.

반쪽이 잘려 나간 주제에도

　　모든 것이 잘려 나가고 있는 시인의 주제가 안타까운 게지요.

한참이나 그 어디에 빛 빨려 나간 달의 반쪽 모습에, 넋을 '쭈욱'
빨려 나가다가 정신을 차려 봅니다.

　　파란 이파리 나오려면 아직은 멀어 보이는 나뭇가지가, 부러질 정
도로 혼자 마구 흔들리는 것이 보입니다.

　　　　저 정도이면 부러져야 정상 아닌가?

'바람 한 자락이 없는 것을 보면 - ' 하다가, 큰 파랑새가 한참이나
가지에 앉아 있다가 - 그렇게 앉아서 시인을 쳐다보다가, 방금 날아
가 버리는 것이 보입니다.

　　　　행복은 이렇게 나에게 날아오려다

정신 농아진 상태　에서 '무르륵' 날아가 버리고 마는 존재
인가 봅니다.

밤새 목 졸리는 꿈에
목 새까맣게 타버려
일어나자마자 물 두 컵
순식간 벌컥여진다

매일 다음 하는 일

왼손에 칼갈이 꼬챙이
오른손에 칼 한 자루
싹둑 손 자르지 않으려
　　ㅡ「하루 시작은 마음 칼갈이로 비장하게」

64

지금은 마음 수도를 꾸준히 하여 그렇지 않지만, 예전에는, 잠시라도 방심하면 꿈자리가 좋지를 않았습니다.

미국 이민을 와서, 한참 동안 고생하던 모습이 생생하게 되살아나서 목을 졸랐지요.   그것도 밤 내내.

막다른, 더 이상 피할 수 없었던 막장의 Scene에서 구해주는 것이 있었으면 좋았었는데, 간절히 바라는 〈하늘에서 뻗어주는 구원의 손길〉은 없었습니다.   그러니 얼마나 힘들었는지요.

사람들은 말했습니다. 기도하라고.

제가 그 많은 사람한테 그렇게나 오랜 시간을 말했던 것을 제가 거꾸로 듣고는 흠칫했었지요.

사람들은 계속 말했습니다. 제가 그랬듯이. "기도가 부족해서 그럽니다. 기도를 열심히 하면 전지전능하신 하느님께서 돌보십니다. 전지전능하신 아버지 하느님 아닙니까. 아버지가 어찌 자녀의 통곡 소리를 외면하겠습니까?"

정말 제가 했던 말들의 토씨 하나 틀리지 않고, 목소리 톤 그리고 표정까지 저하고 똑같이 하여 나에게 훈계하였습니다.

**기도하여 이루어질 수 있는 상황은
그리 급박하지 않고 절망적이지도 않은 상황**   입니다.

정말 당장 이 시간 해결하지 않으면 안 되는 막장 + 절벽 상황 전개 잎에서는, 기도가 내 구원의 손길이 되지 못하였습니다.
                                        구세주.

뒤에서는 맹수가 달려드는데 앞은 막혀 있는 막장의 꿈. 내 몸 서너 배 되는 돌이 구르며 달려들어 도망가는데 앞은 절벽의 꿈.
                                        구세주.

이 무시무시한 **악몽에서의 구세주는 당장 꿈에서 깨어나는 것** 입니다. 잠시라도 벗어나 꿈에서 깨어나면 어쩌면 다시 또 다른 악몽이 기다리고 있을지도 모르지만

일단은 어지러움이 있으니, 할 수 없이 잠에 들기 위해서 몸을 뒤척여야 합니다. 이쪽으로도 굴러 보고, 그래도 잠이 청해지지 않으니 다시 저쪽으로 굴러도 봅니다. 엎드려도 보고 뒤집어도 보고….

그러는 사이에 식은땀은 계속 이불을 적십니다. 이다지 그 긴 밤을 고생하다가 보니 목이 새까맣게 타들어갑니다. 막장에 몰릴 때마다, 살려 달라고 소리를 지르다 보니 그랬나 봅니다. 실제로 소리를 질렀는지, 아니면 꿈속에서 질러댔는지 그것도 잘 모르겠습니다. 실제로 목이 타 버려서 그런지 아침에 일어나자마자 물 두 컵이 순식간에 밤새껏 '아 – 악!' 소리 지른 불쌍한 목구멍으로 자동으로 빨려져 사라져 버립니다. 물 두 컵에서 물이 없어지게 만든 뒤 하는 일은 화장실에 들렀다가, 아침 준비하는 일입니다.

〈먹어야 산다. 그래도 먹기라도 하여야 하지 않겠는가. 죽지 않으려면〉

이런 **비참안 원초적 중얼거림** 이 주방으로 향하게 합니다.

채소를 씻고 자르기 전에 제일 먼저 하는 일은 뾰족한 꼬챙이 칼갈이를 왼손에 들고, 오른손에는 맨날 쓰는 중간 Size 칼을 들고 서로 '쓱삭 쓱삭' 비벼대는 일을 몇 번 해댑니다.

시간의 정확성이 산발하여 기억이 아슬아슬한, 그 제법 오랜 몇 년 전쯤에 잘 안 드는 칼 들고 마늘을 도마에 올려놓고 잘라가며 까다가 칼이 마늘 겉껍질을 자르지 못하고 미끄러져서 손의 살점을 제법 '쓱삭' 날려 버렸지요. 솟구치는 빨간 피도 지혈이 잘 안 될 정도로 크게 다쳤었기 때문에, 그 이후로는 내 몸을 보호하기 위해서 이렇게 열심히 칼을 갑니다.

칼의 날은 날카로워서 손을 다치게 하는 것이 아니고
무디어져서 사람 살을 잘라내고 피를 뽑아냅니다.

칼을 써 본 사람은 누구나 아는 이치이지요. 칼날이 날카로울수록
위협이 되는 것이 아니고 칼날이 무딜수록 다칠 위험은 커집니다.
그럼 〈몸보다 중요한 마음을 위해서 무엇을 해야 하나〉 묵상하다가

칼에 날 세우자
시퍼렇게

무디어진 날은
살점 저미고 피 뽑으니

칼날을 세워보자
날카롭게

둔해진 양날
마음까지 베어 버리니
　 ―「매일 칼날을 세워보자」

마음의 날이 무디어지면 마음을 잘라 내게 되고
마음의 세포를 살리는 마음의 피를 뽑아내게 된다.
라는 것을 깨닫게 되었습니다. 그래서 아침에는 칼을 갈면서 마
음도 같이 갈기 시작합니다. 마음의 날을 세우지 못하여 마음이 매
일 야금야금 잘려 나가고 마음의 혈액이 빠져나가게 되면 마음은 죽
게 됩니다.

마음이 죽으면
몸도 죽게 되어 있습니다.

그래서 하루의 시작은 열심히 칼부터 갑니다. 칼날이 정말 무디어
져서 가는 것은 아니지만 그래도 매일
　　　몸을 위하여.　　　마음을 위하여.　　　그리고 생명을 위하여.

두꺼워야 하는 신발
몇 겹이어야 되는 옷
귀도 머리도 감싸고
뒤에서 따라오는 급한 발걸음 소리에
심장은 떼어놓고 발만 재촉하여 오르며
뾰족한 돌 말고는 아무것도 보지 못했다

이름도 나이도 마음도 인연도
산꼭대기에 벗어두고 내려오다

그제야 줄기, 잎, 뿌리까지 약 되는 금은화
하얀 눈 속 찬란한 보석으로 핀 걸 보다니
　　─「그래야 보게 되나 보다」

인동초(忍冬草)는 겨우살이 넝쿨로 알려졌지요.

금은화(金銀花)라고도 불리고요. 겨울철에도 말라 죽지 않고 살아
있습니다. 남쪽 지방 따스한 지방에서는 얼지 않고 겨우내 푸른 잎
을 간직합니다. 꽃은 나무 한 마디마다 두 가지 송이의 꽃이 열리지

68

요. 먼저, 하얀 꽃을 피우는데 이 하얀 꽃은 시간이 지나면서 금색의 노란 꽃으로 변합니다. 그 이후에 태어난 꽃은 은색의 하얀 꽃을 피우는데 이렇게 한마디에서 노란 꽃과 하얀 꽃을 피운다고 하여 금은화라고 불리지요.

하늘도 얼고 구름도 얼고 바람도 얼어 버려, 마음도 할 수 없이 따라서 하얗게 얼어 버리고 만 이 세상에 얼지 않고 금색과 은색으로 피어나는 금은화.

척박한 땅에서 고난을 이기는 인내의 상징으로 많은 사랑을 받아 온 인동초의 줄기는 항상 오른쪽으로만 감아올려 가며 꽃을 피우는데 꽃 모양이 학이 나는 모양이라고 해서 노사등이라고도 불리는 등 여러 이름을 갖고 있지요. 이 인동초는 잎, 줄기, 뿌리까지 약으로 씁니다. 열을 내리고 독을 푸는 작용을 한다고 합니다.

이 험한 세상을 살다 보면, **언제나 꽁꽁 언 채로 겨울만 있을 것만 같은 이 탁한 세상**을 살다 보면, 열나는 일이 많습니다. 흔하게 일어나는 이 열나는 일에 일일이 화를 내다가 보면 몸에 아드레날린이나 코티솔 같은 스트레스 호르몬이 분비되어 독기가 퍼집니다. 독기가 피 속을 타고 돌아다니며 세포 하나하나를 망치는 것을 안다면 화나는 것을 조절하며 살아갈 터인데 조그만 일에도 화를 내며 살아가는 것이 우리들입니다.

화는 씨앗이며 습관 입니다.

화의 씨앗을 뿌리면 반드시 고통의 열매가 맺혀지게 마련이지요.
나쁜 습관은 좋은 습관으로 고쳐질 수 있습니다. 먼저, 나의

69

마음 세포가 지금 어떤지 항상 지켜보는 좋은 습관이 필요합니다.

이러한 지혜는 삶의 산을 오를 때는 떠오르지 않습니다.

내려놓고 비우고 내려올 때만 마음 깊은 곳에서 샘물처럼 맑게 떠오르게 됩니다.　　　　　　　　**지혜이지요.**

세상이야 얼건 말건 마음속에, 찬란한 꽃을 피우는 인동초 한그루 심어놓고 합장 한번 해 보시지요. 세상이 달리 보입니다.
내가 약할 때 오히려 강하기 때문입니다.

삼월 중순이면
매년 이맘때면

바람결 휘청거릴지라도
꼭 물고 넘어갈 말 하나

이제 그대
다른 이 머릿속에
가끔은 생각나는 사람인가

이제라도
다른 가슴속에서
숨 쉬어지고 있는 이 될지
　－「그대 꽃인지
　　　물고 또 물어라」

밤 내내 그리고 새벽까지 쌀쌀한 공기가, 꽃의 목을 조르거나 말
거나   3월 중순이면 꽃들이 여기저기서 향기를 내 밀어내며
          사람들의 마음을 마음껏 '휘이 - 휘이' 흔들어 댑니다.

다른 이들이 문득문득   **그대를 생각해주고**
                         그대를 기억해주며
                         걱정해주고 사랑해 준다면
                         그대는 분명 꽃입니다.

그러나 그대가 반대로   그동안 살아오면서   그대가 남을 대
할 때   남보다 조금은 부족한 것처럼
          약간은 손해를 보고 제법 약하고
          약점도 그런대로 살짝살짝 보여 가며
          그래서 남보다 제법 멍청 바보처럼 보였어야 했는데
그 정반대로 살아왔다면   -   그 오랜 세월을 되돌릴 수도 없고

그래서 사람들이 그대를 생각하는 사람도 없고, 기억해주는 이도 없으
며, 그대가 무엇을 하던, 어디에 있던 관심도 없고, 걱정도 안 해주며, 더
군다나 그대를 사랑해 주는 이가 별로 없다면 ☞ 어쩌면 좋단 말입니까.
          그대는 향기는커녕, 꽃이 아니니   이를 어쩐단 말입니까.
                         아찔하게 화사한 이 봄날에.

봄에
아찔하게 따사한 봄에

장미처럼 화려하기 싫고

장미 같은 가시 싫어하는
이들이

조금은 부족한 듯
조금은 손해 본 듯
약간은 바보처럼
제법 약한 것처럼
모여 사는 곳 있다
　　―「야생 꽃 군락(群落)」

꽃 좋아하시지요?　　어떤 꽃을 제일 좋아하시나요?
　어떤 사람들은 장미를 제일 좋아합니다.　백합을 좋아하기도 하고
요. 사람마다 좋아하는 꽃들을 물어보고 그 대답을 듣다 보면
　　　　　　　그 사람의 성품을 알 수가 있습니다.
　조금은 부족한 듯　　조금은 손해 본 듯　　약간은 바보처럼
　제법 약한 것처럼　　사는 현명한 사람들은 야생화를 좋아합니다.

언제 피는지　　　　　어디서 피었는지　　　　언제 지는지
진 다음에는 어떻게 되는지
　　　　　　　　아무도 보아주지 않는 야생화를 좋아합니다.

모진 겨울을 지내고
혹독한 바람을 매일 밤도 모자라 태양이 저리 벌건데도,
오지게 온몸으로 맞아가며 간신히 피었지만

그저 열심히 피었다　**노력에 상관없이 순식간에 지는**

것이 들꽃이기에 -

그저 태어났다가 **얼떨결에 욱 - 죽어 버리는**

것이 운명임을 알기에 -

가만히 무겁게 눈꺼풀 닫혀가며

콧구멍에서 기나긴 바람 나오네

가슴 어딘가 뭉친 무엇이 있어

풀어 주려는 살려주려는 유일한

　　　－「그래 그것이라도(깊은 한숨)」

길이 안 보입니다.

　이 길인지 아니면 저 길인지. 아니면 아무 길도 가지 말고, 이곳에 그냥 당분간 있어야 되는지도 잘 모르겠습니다.

　아무것도 할 수 있는 것이 없을 정도로 답답할 때

　내 몸의 두 눈은 더 이상 역할을 할 수가 없는지 스르르 천천히 닫히면서 가슴 응어리진 것을 풀고

　　　　　　　　　　나를 살리려고 하는 것 이 있습니다.

　　　　　안숨.

　　　　기나긴 안숨 입니다.

　옛날 어르신들은 젊은이들이 '후-' 한숨을 쉬면, '한숨을 쉬면 복이 날아간다.'며 핀잔을, 한숨이 '폭삭' 꺼지도록 퍼부었지요.

　한숨을 내쉬지 않으면, 숨이 쉬어지지 않습니다. 가슴의 답답함도 잠시라도 가시지를 않습니다.

　　　　　　　사람이 숨을 안 쉬면 어떻게 됩니까?

　그냥 죽은 개체입니다. 길거리에 내동댕이쳐진 돌멩이 하나요. 부

러져 떨어져 나가 비틀어진 나무 한 개비와 다르지 않습니다.

숨은 이렇게 생명의 상징이지요.

자기 숨결을 느끼며 살아가는 정도가 많을수록
사람은 깨어 있게 됩니다.

이제 느끼며 살아가시지요. 그렇지. 이 숨이 나를 살리고 있었지. 내가 억지로 노력을 기울이지 않아도 그리고 걱정에 짓눌려 있어도 자동으로 쉬어지는 숨.

세상에 태어나서 단 한순간도 나의 생명을 놓치지 않고 잡아주고 있는 그 숨의 결. 그 결을 느껴야 합니다. 순한 결인지. 급한 결인지. 낮은 결 아니면 불규칙한 결은 아닌지…

그 숨소리에 집중해 봅니다. 나를 살리고 있는 그 숨결.

숨은 길수록 좋습니다. 나에게도 좋고 내 곁에 있는 사람에게도 좋습니다. 긴 숨은 나의 마음 평화와 건강에 직결되고, 내 이웃에게도 이 건강한 평화가 전달되게 되어 있습니다. 일 분에 몇 번 숨 쉬는 것이 좋다 나쁘다 이런 것에 신경 쓰면 그것도 또 다른 속박이 됩니다. 그저 내가 평상시에 숨 쉬는 것을 천천히 지켜보시고 **'그보다는 쫌 더 길게 안다.'라는 기분**으로 시작하여, 점점 시간을 길게 늘려나가시기만 하면 됩니다.

저절로 나오는 긴 한숨을 제대로 느끼다 보면
오히려 한 줄기 희망이 무지개처럼 다가옵니다.

그제와 같은 독배를 들고
어제와 꼭 같은 생각으로
오늘도 아침 시작해 보니
내일 당연히 그제가 되고
ㅡ「왜 낫지 않는가」

사람이 왜 아플까요? 그리고 왜 이 약 저 약을 먹어도 잘 낫지를 않고, 몸이 여기저기 번갈아 가며 아플까요?

　　　사람에 따라 아픈 데가 다 다르겠지만, 병의 시작은 대개 간단합니다.　　　　　지속되는 스트레스이지요.

낮에는 언제나, 억압된 같은 감정과 생각에 사로잡혀 있다 보니, 이런 스트레스성 마음 상태는 꿈속에서도 같은 기조를 유지하게 됩니다. 즉, 밤이나 낮이나 24시간 내내 안정되지 못한 '불안한 기분'으로 지낸다는 것이지요.

이런 불안 상태라는 것은, 사람에게서 항상 같은 부정적 뇌파가 생성된다는 것이고요. 이런 나쁜 뇌파가 습관화되면, 이것은 **굳어진 뇌 외로** 가 됩니다. 그리고 그 회로를 타고 내려오는 병적인 신호가 세포, DNA 유전자를 고정하고요.

건강하지 못하게 고정된 세포 는 당연히 비 건강체 머리, 얼굴, 배, 등, 팔, 다리가 되니, 당연히 병든 몸에서 벗어나지를 못하게 되는 것이지요. 사람은 매일 먹고 마시는 것, 호흡하는 것, 생각하는 것, 느끼는 것이 서로 상호화학 반응을 일으켜서 그 사람의 현재 상태를 유지합니다. 지금 내가 아프다면,

생각하는 것, 느끼는 것을 지금 바꾸어야 합니다. 그리고는 먹고 마시는 것, 생활 습관, 운동과 호흡 습관도 함께 바꾸어야 병에서 해방될 수가 있고요.

'왜 낚지 않는가'에 대한 대답은

남에게 묻기 전에 나에게 들어야 합니다.

▲ 엿장수를 기억하시나요?
가난이 당연하다고 느끼고 살았던 그 시절, 동네를 돌며 자판 위에 하얀 분칠한 엿을 놓고 '짤까닥 짤까닥' 헐렁하게 네모난 엿가위질로, 코흘리개 아이들 마음을 사로잡았던 그 늙수그레한 아저씨 말이지요. 어른들은 아이들에게 먹거리를 사줄 형편이 안 되니, 엿장수들이 엿을 바꾸어줄 만한 것들을 정성스레 모아 두었다가 엿장수가 오면 엿으로 바꾸어 주었지요. 처음에는 엿장수가 지게에다가 자판을 지고 다녔습니다. 그러다가 60년대 언제쯤인가 들어서서는 손수레 위에 엿 자판을 올려놓고, 손수레 안에는 온갖 고물을 싣고 다니던 기억이 봄날 아지랑이처럼 피어오릅니다.

동네에 오는 날짜도 일정치 않았고 재활용할 수 있는 빈 병, 종이, 쇠붙이 등의 값어치를 매기는 일은 엿장수 맘이었습니다. 해맑은 눈동자 아이들이 조막만 한 두 손으로 더 달라고 조르면 못 이기는 척, 엿 가락을 가위로 '투둑' 잘라 주던가, 넓적한 엿판에 쇠로 만든 끌을 댄 다음 가위로 '팍-' 쳐서 엿을 찔끔 끊어 주었었습니다.

누구는 푸근한 마음을 펴서 쭈욱 쭈욱 늘려본다
달콤 하얀 미소 길게 번지게

또 누구는 스스로를 가두어
점점 잘게 잘라 어제가 오늘이고 내일도 그제이고
짤까닥 짤까닥

엿판에 누워있는 스물네 개 말고는
자를 수 없는 넓적한 가위
엿장수 달구지 손님 나이만큼 빠르게
　　－「엿가락 시간」

그 엿은 제조과정부터 '좌악 좌악' 늘려가며 만들기 때문에, 먹는
것도 '주욱 주욱 죽' 늘려가며 먹을 수도 있지요.
　　　　여기서 삶의 중요한 문제가 제기됩니다.
누구에게나 공평하게 주어지는 이 스물네 가락 시간을 어떻게 하
면 엿처럼 달콤하게 늘려가며 살아갈 수 있을까? 하는 문제이지요.

구석구석 모두 모가 난 세상과 같은
사각 나무상자 안

누구나 아무나 회칠 변장한 것 같이
누워있는 24조각

어떤 이는 길고도 길게 늘여 먹으며
누군 또 순식간에
　　－「전혀 달콤하지 않은 엿가락 시간」

매일 학교, 직장에서 쳇바퀴 도는 생활을 하다가 보면 화요일이 그
제이었던 것 같은데 일주일이 휘익 지나 오늘 또 '열불이 확 오르게
하는 화요일'입니다. 그렇게 살다가 보니 벌써 새해 3월입니다. 이
런 식으로 3개월이 지나가면 인생의 3년 그리고 30년이 그냥 '화악

휘익-' 지나가 버리지 않는다는 보장이 없게 되지요.

백세 시대라고 하는데

'휙' 지나가는 백세가 무슨 의미 가 있을까요?

여행을 갔을 때는 어떻습니까? 같은 하루가 얼마나 깁니까…
여행지에서의 아침 시간은 길고, 점심나절도 길며, 저녁과 밤도 지루할 정도로 길기만 하지 않습니까.
바닷가에 있었던 어제는 그렇게 시간이 길기만 하였고, 산과 들에 있는 오늘도 시간이 늘어지게 길기는 마찬가지인 것이 여행지에서의 시간입니다.　　　　　　**시간의 비밀** 을 알아야 합니다.

오십 마일로 달리는 열차에서 뛰어 내리면
한쪽 다리가 부러진다고
육십 마일 칠십 마일 그리고 팔십 마일은
두 다리 갈비 머리 조각이

나이만큼 달려 준다는 나이 급행열차
낭떠러지 절벽 향하여 질주만 하는데
　　ㅡ「브레이크가 분명 있는데도」

'오십 대는 오십 마일 육십 대에는 육십 마일… 이런 식으로 인생이 질주한다'라는 자동차 속도 비유로 본다면, 이 질주를 막는 길은 하나입니다.　　　　　**감속.**

속도를 줄이는 방법은 두 가지입니다.

☞ 액셀러레이터를 세게 밟지 않는 것
그리고 ☞ 브레이크를 밟아 주는 것.

운동할 때를 제외하고는 천천히 걸으세요. 눈도 서서히 뜨고, 숨도 길고 길게 슬슬 쉬고, 말도 천천히 하시지요. 이렇게, 나를 질주하게 만들던 액셀러레이터에서 발의 힘을 빼면, 가속 페달이 서서히 위로 올라옵니다.   **서서이 행동하면 그동안 못 보던 소중한 것들이 또렷하게 보이기 시작** 합니다.

그리고 브레이크를 밟는 방법. 그것도 자주 밟아 주는.

이 브레이크는 바로 자신이

평소에 하지 않는 '새로운 것' 을 알 때 브레이크

가 걸립니다. 자기 형편에 맞게 평상시에 하지 않던 것을 찾아

단편 영화를 혼자 본다든지

허름한 옷 입고 고궁을 어슬렁거린다든지

책방에서 종일 생소한 분야 책을 본다든지

자기 스스로 맛있는 요리를 하고 설거지한다든지

사람 없는 시간에 바닷가, 강가, 들판에서 자전거 탄다든지

아무 시내 시외 버스를 타고 종점에 내려 들러 보기를 한다든지

사람 적은 섬 가는 작은 배 타고 섬 돌아다니며 하루 종일 굶어 보기

평상시 관심 없던 스포츠 종목 경기 가서 소리 질러 보기

여러 봉사 기관에 가서 자원봉사 활동하여 보기

일용직에 며칠 동안 참여하여 보기

그냥 반나절 멍 때려 보기

SNS 1주일, 뉴스 2주일 단절해 보기

하루 한 시간 묵상, 명상, 멸상에 몰두해 보기

불자는 피정/미사/예배에, 기독교 신자는 예불 참여해 보기
그림 그리기, 노래 듣기, 땀 흘려 운동하다가 1/5정도 기절해 보기
같은 '새로운 것'으로 매일의 삶의 질을 나름대로 늘려나갈 때

시간은 늘어집니다. 길게 길게 '쭈욱 쭉'늘어집니다.

인제 그만
엿장수로 살아가시라
회칠하고 누운 엿가락 말고

이쯤 해서
엿장수 마음대로 하여
석양마저 참담히 얼지 않게
　　　ㅡ「여생은 엿장수 되시라」

시간은 엿장수 마음처럼 길게도 짧게도 쓸 수 있습니다.
육십을 살아도 백세 산 것 같이 사시던가.
백세를 살아도 오십같이 살다가 가시던가.

그대는 분명　　공중에 넓적한 가위를 휘휘 휘두르는
엿장수임　　을 명심하셔야 합니다. 여생의 화두입니다.

멍멍
개 짖는 소리 이 세상에
멍멍
삭은 마음속 나 살리는
　　　ㅡ「물멍 불멍」

세상 따끈한 불덩이에서
나 숯덩이 되기 전 나 살리는
물멍

현대 문명 장마 홍수에서
익사 일보 전에서 나 건지는
불멍
　　―「불멍 물멍」

멍때리기 대회가 있습니다. 2014년에 처음 시작되었지요. 멍때리기가 쉬운 것 같지만 대회 도중에 탈락자가 많을 정도로 제법 어려운 경기입니다. 멍때리기는 그 대상을 자연의 어떤 것으로 해도 가능하지만, 물멍, 불멍이 제일 효과가 좋습니다.

미친개 짖는 소리보다 더 잔인하게
물어뜯는 최첨단 문명

목 졸려 숨도 쉬기 벅찬 하루하루에
살려주는 것 결국 멍멍
　　―「멍멍에는 멍멍으로」(불멍 물멍)

과학적인 측면에서 보면, 물멍은 인간이 물에서 시작하여 진화하였기 때문에 물을 보면 고향을 보듯이 익숙하고 편안할 것입니다. 잠시도 쉬지 않고 다가오는 파도를 보고, 파도 소리를 듣노라면 자연스럽게 멍때리기에 빠져들게 됩니다. 강이나 바다의 파도도 좋고요, 자연 속의 폭포, 빗물 내리는 모습, 시냇물 등 흐르는 물도 좋고, 어디로 가기 위해서 잠시 정지해 있는 조용한 물도 멍 때리기에 좋지요. 굳이 강태공처럼 낚싯줄을 물에 던지지 않더라도, 마음의 줄을 잔잔한 물에 던져놓고 상념이 상상의 낚시에 걸려 올리는 것을 보아도 좋습니다.

불멍의 기원은 모닥불입니다. 인류에게 모닥불은 사회성의 시초입니다. 과학적으로 보면, 원시인류는 처음에는 날고기를 먹었지요. 그러다가 자연 발화된 불에 탄 동물의 고기를 먹고는 그 맛에 정신이 '화닥-' 들었을 것입니다.

안 보이는 낚싯줄
강물에 깊이 던져놓고
기다리고 기다리니

바늘 없는 데도 걸려
파다닥 끌려 올라오는
그것은 무엇이신가
　　ー「잡히는 상념 그것을 보시라」

그래서 '불을 가두어서, 쓰고 싶을 때 쓰는 방법에 골몰'하였을 것이고요. 인류가 불을 만들고 보관하면서 인류는 크게 진화하게 됩니다. 날고기를 먹기 위해 강한 턱과 이빨이 필요했던 머리 공간이, 익힌 고기를 먹게 됨에 따라 점점 두뇌의 부피로 채워지게 되어서 소위 '똑똑한 인류'가 되기 시작합니다.

원시인들은 이렇게 모닥불을 피우고 둘러앉아서, 부드럽게 익은 고기를 맛있게 먹고, 체온이 따스해지는 것을 느끼면서 '사회성'을 키웠을 것입니다.

인류가 고향을 지향하는 측면으로 고찰한다 치면, 물명이나 불명이 사람을 평안하게 하여주는 것이 자연스럽게 수긍이 갑니다.

원시인들은 불명을 때리고, 물명을 때리면서 두뇌가 발달하였을 것입니다. 지혜가 생기기 시작하였던 것이지요.
현대에도, 지혜의 중요성을 깨달은 자들은

상념을 불에 태워 버리고

물속에 잠겨 버려

뇌 속을 비워가며 채워지는

지혜의 등불에 의지하고 살아가는 현명한 사람들입니다.

유난히 추웠던 겨울 지난
따스한 봄날

꽃이 지천인데

꽃향기 나지 않는
아직도 마른 가지 위

흰 나비 한 마리 앉기에
가까이 가 보려 하니

나비 놀라 날아가 버리네
　ㅡ「잠시도 쉬지 못하게 하는
　　　나는 누구인가」

지난 겨울은 유난히 추웠다고들 합니다.

시인에게는 겨울이 추워서 좋기는 하지요.

추위를 잘 느끼면서 **겨울을 길고도 질기게 지내야**

봄의 꽃향기를 잘 즐기기 마련 이라고 믿고 있

기 때문입니다.　　온통 꽃 잔치인 3월입니다.　여기를 보아도

　　　　꽃

　　저기를 보아도

　　　꽃　　　　　　입니다.

어떤 사람은 여기를 와도 **꽃을 보면서도 꽃을 못 보고**

　　거기에 가도 꽃을 보면서도 꽃을 못 보지만 말이지요.

꽃향기 위로 나비들이 꽃보다 아름답게 날고들 있는데

하얀 나비 한 마리가 마른 가지 위에 앉았습니다.

나이가 들어서 불편한 점이 어디 한둘이겠습니까. 그런데

시를 쓰는 사람으로서, 눈이 잘 안 보이는 것은 무엇보다도 불편

합니다.

나비가 왜 꽃에 안 앉고 내 몸과 같이 마른 가지에 앉았을까 하며

이상하여 살포시 나비를 가까이 보려 하는데 나비는 놀라서 멀리

날아가 버립니다.

멀리 멀리 누구처럼 뒤도 안 돌아보고

늙은이가 무서웠겠지요. 잠시 쉬려고 앉지도 못하게 하는 무서운

인간.

　가냘프게 힘들게 날아다니다가 잠시 쉬려고 앉았던 나비가 사라

진 텅 빈 하늘 한구석을 물끄러미 바라보며 한숨을 쉬었습니다.

이 나이 되도록 아직도
자기 자신도 쉬지 못함은 물론이고
남을 쉬지도 못하게 하는구나.

35년 전 이사 올 때 원래 있던 나무 1
그때 옛날 집에서 캐온 나무 2
작년 무너진 담장 가리느라 심은 3, 4, 5
이들 오렌지 나무 약속
어기지 않고
동시에 꽃 피워주었다
작은 뒷마당 향기 넘쳐 담장 넘기는데
―「누구는 나무판자 담장 안에서만」

오렌지꽃이 한창입니다. 노란 오렌지 알을 맺으려고 하얀 꽃이 피어줍니다. 하얀 꽃들이 한창 필 때는 그윽한 향이 작은 뒷마당을 가득히 메우고, 나무판자 담장을 넘어서 이웃들에게도 향긋한 향기를 선사합니다. 벌새도, 나비도, 벌들도 초청하면서 봄의 향연 그야말로 잔치가 한창입니다. 그런데 누구는
담장 넘어서 얼마나 많은 이들에게 향기를 전해주며 살아가는지
곰곰이 고민에 빠져 있습니다.

병 하나 본다

물 담은 물병
꽃 담은 꽃병
―「물도 꽃도 담지 못하고 있는 이 누구나」

제법 따가운 봄 햇살이 방안을, 골고루 서서히 Force있게 훑고 지나갑니다. 방안에 나와 같이 있었던 물건들을, 내 의식이 오랜만에 느낀다는 표현이 맞겠지요.

태양을 멀리 떠나온 태양의 자식들, 빛이 무슨 일을 하겠습니까? 그저,

내 깨어 있는 의식이 그것을 있게 하는 것 이지요.

물을 담으면 물병이 되고   꽃을 담으면 꽃병이 되며   기름을 담으면 기름병 간장을 담으면 간장병 김치를 담으면 김치 통이 되고 쓰레기를 담으면 쓰레기통이 됩니다.

병이나 통이 그렇게 되고 싶었겠습니까?

그 병이나 통에   **무엇을 집어넣은 자는 누구입니까.**
무엇이 들어가 있는지 아는 자는 누구이고
무슨 통인 줄도 모르는 자는 또 누구입니까.

엘리엇은 가장 잔인한 달이라고 했다지
假死인 그대와 나에게
풀 한포기 난다고
무엇 달라지냐고

삼월 그랬고 오월도 그럴 것이라면서
보이는 것 잘 못 보고
낯설지 않은 곳만
어질 휘청하면서
　　ㅡ「어떤 마지막 날
　　　　내일은 어떤 첫날이지만」

4월. 가장 잔인한 달.

노벨문학상 수상자의 토머스 스턴스 엘리엇이 1922년에 발표한 장편 434줄의 서사시 '황무지' 처음 부분에 나오는 구절로 잘 알려졌지요.

이 시는 페트로니우스의 사티리콘(Satyricon)에서 온 묘비명으로 시작됩니다. 쿠마에(Cumae, 나폴리 북서부) 한 무녀가 항아리 속에 매달려 있는 것을 내 눈으로 직접 보았지. 그때 아이들이 '무녀야, 넌 뭘 원하니?'라고 물었을 때 그녀는 대답했어. '죽고 싶어'

더 나은 예술가 에즈라 파운드에게

전편 제1부의 죽은 자의 매장(The Burial of the Dead) 시작 부분은 -   사월은 가장 잔인한 달로 시작됩니다.

사월은 가장 잔인한 달
죽은 땅에서 라일락을 키워 내고
추억과 욕정을 뒤섞고
잠든 뿌리를 봄비로 깨운다.
겨울은 오히려 따뜻했다.
망각의 눈으로 대지를 덮고
마른 뿌리로 약간의 목숨을 남겨 주었다.

1차 세계 대전(1914-1918)에 따라 구백만 명 이상이 허무하게 죽고 마는 참담한 전쟁을 몸으로 경험한 엘리엇은 서구인들의 삶 속에서 어쩌면 죽음만이 유일한 소망이 된 것이 아닐까 하는 참담한 절망을 표현합니다.

더군다나, 그 절망마저도 알지 못하는 현대를 살아가는 사람들의 정신적인 황무지의 황폐한 삶을 보았기에 글을 쓰면서 절망하지요.

'파릇파릇' 새 생명이 다시 소생하는 4월에 자기가 아무것도 할 수 없는 작은 존재라는 것이 바로 황무지라고 보았을 것입니다.

이런 황무지에서라면 차라리 아무것도 할 수가 없는 겨울이 차라리 낫다고 하면서 그렇기에 4월은 참으로 잔인한 달이라고 탄식을 하는 것입니다.

거의 죽은 것이나 다름없는 너나 나나
4월이라고 풀 한 포기, 꽃 한 송이 피어나기 시작한다고 해도
무엇이 달라지는 것은 아니라고….
저번 달 삼월도 그랬고   내일 새로 시작할 오월도 그럴 것인데
낯선 곳에 빛이 있고 낯선 거기에 사랑이 있고 용서가 있건만

낯익은 이들끼리만 "우리가 남이가" "우리는 하나랑께" "꼰대" "어린 애들" "이대남" "이대녀"를 조장하는 '갈라치기' 그 오랜 역사에, 이것저것 더해가는 새로운 굴곡의 굴레에서 '어질어질하게, 아찔아찔하게' 휘청거리며 살면서

자기가 이쪽에 서서   아니면 저쪽에 서서
      그렇지도 않고 그냥 중간에 서서
저 사람이 어지러운지, 내가 아찔하게 휘청거리는지도 모르니
    일 년 내내
    잔인하기만 한 달   이 이어지고 있습니다.

사람이 있었다
자기 그림자에서 걸어 나온

성자가 있었다
자기 그림자까지 태워버린
　―「그림자 탈출」

거기에서 나오세요
그만
그쯤 했으니 이제는
그만
그림자에서 나와요
그대
그것이 그대 아니니
그만
　　　－「그대 인제 그만」

나를 항상 쫓아다니는 것이 있습니다. 그림자.
사람마다 다 다르지요. 긴 그림자. 짧은 그림자.
지난날 드리워진, 각인되어 삶 끝날 때까지, 기필코 쫓아다니며 불
쑥불쑥 목을 조여 올. 그 그림자를 불태우는 　　　　**염력**(念力).
잘 태워지지 않는다면 그 그림자를 내 버려두고
　　　　　그림자에서 걸어 나오는 　　　　　**지예**.

성자가 되는 길은 　　　　　　　복잡하지 않고 간단합니다.
나와 다른 이의 생명 살리는 일도 　　　　　단순합니다.

노인 할 일 없어 그런 것은 아니다
그냥 너무 잊혀지고 만 그 많은 봄 아프기만 해
하루도 안 빠지고 봄 내내 꽃 피고 지는 것 보았더니

활처럼 휜 허리에서
삐걱거리는 다리에서

툭 휘어버린 팔에서도

꽃들이 피어나고
나비도 앉아주고
ㅡ「드디어 내 소원
　　미치고 말았다」

봄을 느끼며 살 처지가 못 되게 살아왔습니다.
봄은 그저 옷을 조금은 얇게 입는 계절 정도로만 알고 그냥 급하
게 밥 먹듯이
　　그 많은 봄들을 몰살시키며　　헉헉거리며 살아왔습니다.

　미안했습니다.　　　봄에 미안하고
　　　　꽃들에게 죄송하고
　　　나비들에게 송구하였습니다.

　그래서 올해는 봄 내내 하루도 안 빠지고 꽃 1이 피고 지고, 또 꽃
2가 피고 지고 3, 4, 5, 6, 7, 8, 9, 그러다 보니 몸 구석구석에서 작
은 꽃망울이 돋더니 드디어 머리 정수리부터 꽃이 피기 시작하였습
니다.

　　　미쳤습니다.
　　　미쳐서 행복합니다.
　　　DREAMS COME TRUE

　　　드디어 그 오랫동안의 꿈이 이루어졌습니다.

이렇게 진작부터 남이 보기에 미쳐서 살아왔어야 했는데, 이 지경의 나이가 되어서야 정신을 차리어 살짝 미치게 되었으니 이 일을 어쩐단 말입니까.

컴컴한 하늘이 좋다
번개 천둥 소낙비 말고는 없을

참참한 밤이 좋다
이보단 더 어두울 것이 없을
　　－「깜깜한 삶의 무게」

하늘을 보니 비가 절대적으로 오고 말 먹구름이 어쩜 땅하고 붙어버릴 참으로 몰려옵니다. 그 먹구름이 오는 것의 저 너머에는 무엇이 있을까? 먹구름을 만드는 이는 과연 누구? 혹시, 나를 믿으면 '너는 죽지 않는다.' '어떠한 불행도 없을 것이다.' '죽어도 죽는 것이 아니다.'라는 공수표를 쓰는 이상한 무속 태고의 신들이 묘한 미소를 지으며 그 많은 먹구름을 만들고 있는 것은 아닐까?

그가 만드는 것이 번갯불, 천둥소리, 약간의 지구 모퉁이를 쓸어내버리는 소나기.　　　　　　　그것 말고는 없기에….

그가 만드는 것이 이보다 더 칙칙한 어두운 하늘, 이보다 더 진한 검은 색은　　　　　　만들 수 없는 것을 알기에….

이런 생각의 경험을 해 보신 적이 있나요? 가슴을 퍽퍽 쳐가면서요. 그러나 아무리 신이 그래도, **견딜 수 있는 것이 세상살이인 것임**은 분명합니다. 이렇게 숨이 턱턱 막혀도 더 나빠질 것은 없을 것이기에 말입니다.

혹시 더 나빠지더라도, 어차피 거기서 거깁니다.

이런 험한 꼴을 당하고 있는 사람들에게 다가서면서 함부로, 적당히 그저 그런 '위로'라는 새빨간 탈을 쓴 말을 하는 완장 찬 '누구 누구'들을 보시면서 맨붕이 되어 보신 분들은 '하늘은 정말 악랄하게 까맣다.'라는 것을 뼈 골수까지 느껴 보았을 것입니다.

뼛속까지 시리다가 보면

더 나빠질 것이 없는 바닥까지 와서 보면

겁나는 것도 없고

안 될 것이라는 불안감도 없어지게 됩니다.

바로 그곳에서 정신만 차리면, 다시 '하늘이 푸르기는 하구나.'라는 것을 멀지 않아 느끼게 되는 것이 삶이라는 것입니다.

그저 그 파란 시간이 빨리 오느냐

아니면 조금은 천천히 다가오느냐   이 차이일 뿐이니

나락으로 떨어지고 있더라도

너무 슬퍼하거나 스스로 '화' 속에 파묻히지   마시지요.

더군다나 엄살은 절대 안 되고요.

참으로 잔혹한

너무나 혹독한

그 참담한

확인 사살

　　─「눈빛으로도, 말 한마디로도, 글 한 줄로도」

어떤 단어를 갖다가 붙여도 잘 표현이 안 되는 상황이 있습니다. 그 상황 중의 하나가 '확인 사살'입니다. 전쟁영화를 보면, 한 편의 군대가 반대편 군인들을 사살하고는, 서서히 지나가면서 죽은 시신들을 향하여 다시 총도 쏘고 칼로 찔러가며 주검을 확인하는 장면이 종종 나옵니다.

얼마나 참담하고, 혹독하며, 잔혹한 행위입니까.

법적인 측면에서 보면, 제네바 협약 1/41에 '항복할 의사를 분명하게 표시한 자나 의식을 잃었거나 부상 또는 병으로 인해 자신을 방어할 수 없는 자에 대해서는 공격의 목표로 하면 안 된다.'라는 조항이 있습니다. 이를 어기면 '전범'으로 처벌받게 되어 있지요.

물론, 적의 부상병들이 다시 아군을 뒤에서 공격하는 것을 막기 위해서 다시 확인하는 측면도 억지로 있기는 하지만, 부상한 적군에게 치료를 제공하여야 하는 것은 법적인 문제를 떠나서 인간의 기본 도리입니다.

이 '확인 사살'이 전쟁터에서만 일어나는 것은 아닙니다. 총알이 사방에서 난무하고, 천신이 있는 하늘에서는 폭탄이 떨어지고, 지신이 계신 땅에서는 지뢰가 폭발하는 상황은 매일 일어나고 있습니다.

사회생활이나 학교생활이나 주위를 '휘익' 둘러보면, 총알이 날아다닙니다.

생각지도 못했던 일이 하늘과 땅 사이에 일어나서 '파팡' '꽈광' 수시로 터집니다. 이런 총알, 파편에 맞아 빨간 피가 '쿨럭 쿨럭' 쏟아지고요. 이런 절체절명의 순간에 내 머리에 권총을 들이대고, 칼로 심장을 겨누는 '확인 사살'이 존재합니다.

예리한 칼날보다 섬뜩한 문장 하나로   날카로운 파면보다 깊은 눈초리 하나로   뱀 혓바닥보다 현란한   한 마디로
사람들은 '확인 사살' 당하고 있습니다.

자기가 입 벌려 한 '한 마디', 눈에 힘주어 한 '눈초리 하나', 미워하는 '한 문장'으로 사람을 죽이는 것도 모자라, '확인 사살'까지 한다는 것. 아시나요?

확실히 죽은 나뭇가지 꼭대기
새 두 마리 파랗게 앉았다

확실히 살고는 있는 눈을 들어
회색빛 하늘을 올려다보니
　　─「날아가 버리고 만 파랑새」

나무도 수명을 다하면 죽는다는 것이 슬픕니다.

사람이 살 만큼 살면 죽어 먼지가 되는 것은 그렇게 절망할 정도로 슬프지 않은 것은, 아마도 주위에서 너무나도 당연하게 많은 사람이 순서에 상관없이 착착 죽어가 주기 때문일 것입니다. 그런데 – 나무가 죽은 모습을 보면　**부처보다 더 부처인 그 나무**　가 그렇게 죽은 모습을 보면 이젠 무엇을 믿고 살아가야 하느냐는 마음조차 들게 됩니다. 그 황당하게 죽어 버리고 만 하늘을 가렸던 나뭇가지 위로 파랑새 두 마리가 앉아 있습니다. 분명 아직은 죽지 않은 두 눈동자를 올려 **세상 색에 딱 맞는 회색 하늘** 을 올려다보니 파랑새는 날아가 버리고, 죽은 지 오래된 나무가 바람을 쳐다보고 있습니다.

원래 파랑새가 있었는지　　　　　원래 나무는 살아 있었는지
　　　　원래 나의 눈동자는 생명의 빛이 있었는지
　　　아는 사람은 오로지 한 사람. 바로 나임이 분명은 한데….

◆

공양(Pujana)은 깨끗한 마음을 갖고

향, 촛불, 꽃, 음악, 등(燈) 같은 것을 불가의 삼보(三寶; 佛, 法, 僧) 또는 부모, 스승에게 바치거나 이웃에게 필요한 진리나 물건들을 베푸는 풍속을 말합니다.

이러한 풍속은 인도에서 종교의 스승, 성자, 부모에게 가르침을 받고 감사한 마음이나 존경의 뜻을 표하기 위하여 선물, 음식, 옷들을 바친 데서 유래했고요,

불가에서는 불자들이 식사하는 것도 공양이라고 부릅니다.

부처님께 꽃, 초, 공양을 올리는 것과 마찬가지로 식사는 우리 몸에 필요한 영양분을 공급하여 몸과 마음가짐을 바르게 함으로써 불교 수행에 기초를 든든히 한다는 의미가 담겨 있지요.

사람은 이런 공양을 하루에 세 번, 세끼를 먹습니다. 밖에 나가서 먹던가, 음식을 밖에서 시켜서 먹지 않는 한, 하루 세끼에 설거지도 반드시 세 번 따라오게 마련입니다.

이제 숨 길게 백팔 배 할 시간
긴 빨간 고무장갑 팔뚝까지 올리고

작은 그릇 큰 그릇
자기가 누구였었다고
이렇게 또 더러워졌다고

파산 배 돛들처럼 삐죽거리는 젓가락들
깨끗하지 못한 입 드나들었던 숟가락들
세상 삶만큼 어지럽게 엉켜있다

수세미에 파란 케미칼 풀어
작은 그릇부터 닦아 나간다

다음 큰 그릇 차례로
합장 사이로 잘 나가며
그 다음 유리그릇 하다가

잠깐 사이에 어두운 인연 반 조각
밀려 들어오는 것 보다가

쨍강
순식간에 공덕은 날아가 버리고
맑기만 하며 제일 아끼던 부처는 네 조각
　－「설거지 공양 조각나다」
　　　(설거지 II)

　한 끼마다, 싱크대에 그릇들이 음식물 찌꺼기 자국을 담고 서로 엉켜 있고, 젓가락, 숟가락, 냄비, 프라이팬 등이 서로 뒹굴고 있는 모습을 멍하니 쳐다보고 있으면… '**사람 사는 것이 이렇게 엄악하고 지저분아구나.**' 하는 확신이 스며듭니다.
　빨간 고무장갑을 팔뚝 깊이 끼어 올리고는, 기름기까지 쏙 닦아주는, 녹색이라 안전tic하여 보이지만, 절대로 안전하지 않은 세제를 스펀지에 풀어 작은 그릇부터 닦아 나갑니다. 닦여진 그릇들은 왼쪽의 싱크대에 크기대로 쌓여 나가고, 그 위로 큰 그릇들이 또 쌓여 나갑니다.
　　　　　이 과정들은 그야말로 수양 입니다.

하루 세 번이나 더러워지는 그릇들처럼, 우리 마음도 매일 세 번 이상으로 온갖 오물이 묻게 마련입니다.

더러워지는 것을 알면 깨끗이 닦을 터인데 - 더러워지는 것을 모르니 닦을 생각도 당연히 하지 않는 사람들을 생각하다가, 그만 제일 맑은 모습을 하고 있어, 음식을 담을 때도 맑은 음식을 담아내던 중간 크기 유리그릇을, 오른손 왼손 기도하며, 푸는 과정에서 그만 놓치고 말았습니다. 잠시, 아주 잠시인데, 도 닦는 그 도량에, - 주위 사람들의 일그러진 모습이 '훅' 비집고 들어오는 바람에, 마음을 '찰나'에 놓쳐 도를 깨게 된 것이지요.

가슴을 설렁하게 하는 ' 쨍그랑' 소리.

그 맑기만 하던 모습이 순식간에

도를 놓친 나를 애치려는 모습으로 둔갑 을 하였습니다.

날카롭게 각을 세운 조각조각들이 네 조각이 되어
나를 노려봅니다.

쨍그랑
마음 줄 미끄러워
미끈 빨강고무 장갑 떠나간 오래된 유리 그릇

뽀시식
뽀족이 날을 세워
빨강 피 빼내어 정신줄 놓은 중죄 엄히 묻는데
　　ー「석고대죄(席藁待罪)」

몇 년에 한 두 번 정도는 이런 일을 겪게 되는데,

이럴 때마다 알 수 있는 일은 단 하나. 다시 시작 하는 겁니다.

깨어진 것들은 미련 없이 즉각 쓰레기통에 던져 버리고 다시 시작.

닦았던 그릇을 다시 오른쪽 싱크대로 옮기어, 다시 시작합니다. 정신을 놓치지 않고 숨을 길고 길게 늘여, 오로지 그릇에만 집중합니다. 더러운 모습 그리고 엉켜진 모습에서 맑은 모습 그리고 차곡차곡 정리되어 가는 모습을 하나하나 보면서요.

그래서 - 설거지 수양, 설거지 공양은 절대로 남에게 미루면 안 될, 자기 수양의 중요한 덕목입니다.

설거지는 수양입니다. 공양이고요.

여성들이 남성들보다 오래 사는 이유가 어디 한두 가지이겠습니까? 그 한 가지 중의 하나가 바로 여자들이 이 설거지 공양을 매일 꾸준히 하기 때문입니다. 오래 살고 싶으신 남자분 들은 이상한 것, 요상한 것 먹으려만 하지 마시고 이 설거지 수양부터 해 보시지요.

하루가 깨끗하여집니다.

쨍그랑
유리 그릇 하나가
일곱 조각쯤으로

쨍그랑
투명해서 깨졌을까
깨져왔던 것일까

─「설거지道 III」

*< 비슷한 내용 다른 곳에 기고한 글>

설거지는 도를 닦는 수행의 한 방법인 것이 확실합니다. 집에 있을 때는 아침저녁은 확실하게, 점심은 가끔 걸러 가며 설거지를 하

고 삽니다. 그렇게 자주 하는, 아주 익숙한 수행인데

　잠깐　'정신에 달린 줄' 정신 줄　을 놓치는 바람에 한 삼십 년은 넘은 유리그릇이 '짜앙 그랑' 깨지고 말았습니다. 아마도 일곱 조각은 더 났을 겁니다. 마음은 열 조각은 더 났겠지요. '유리그릇에 세제 거품이 너무 발렸나?' '새것도 아니고 오래 된 것이고….'

　'유리가 투명해서 잘 보지 못했나?'

　'교묘안 자기 합리와' 에 머릿속이 또 헝클어집니다. 유리는 투명해서　투명하지 않은 생각이 만지면 깨져 버리고　마는 것일까.

　아니면　내가 정신 줄을 놓을 때마다 조금씩 금이 가다가

'더 이상 안 되겠다. 오늘은 이 희망 없는 인간을 떠나자'라며
자가 형태 파괴를 하고 만 것일까.

작은 사기그릇
큰 플라스틱 접시
올리브기름 미끈거린다

사발 찻잔 수저
프라이팬 솥 냄비
양념들 속 지근거린다

무질서 극치들이
거품 속 목욕재계*

하나하나 포개지며
하나둘 도 닦아지는데
　―「설거지 도(道) Ⅳ」　　　* (沐浴齋戒)

99

설거지는 **도(道)입니다.** 수양의, 수련의 한 방편이고요. 하루 세 끼 수북이 쌓이는 식기들, 크기도 다르고 모양도 다르고 재질도 다 다릅니다. **우리가 살아가면서 겪는 고난의 모습도 약간은 다르듯이.** 빨간 고무장갑을 팔뚝 깊숙이 올려 차고는 왼손으로는 그릇들을 깨지지 않도록 조심스럽게 잡고, 오른손으로는 수세미에 세제를 묻혀서 물과 함께 닦아 나갑니다. 처음 설거지 시작할 때는 저 더러운 것들을 어디서부터 손을 대어야 하나? 안 하고 싶은데 안 하는 방법은 없나? 라는 생각도 아주 가끔 들기는 하였었습니다.

매일 하는…. 더군다나 하루 세 끼 해야만 하는….

하지만 – 살아 있는 한 살아 있고 싶은 한 설거지는 하여야 합니다. 숨을 쉬듯이 하여야 합니다. 냄비와 프라이팬은 가족들의 사랑을 따끈하게 끓이고 난 뒤의 모습이고요. 숟갈과 국자는 가족들에게 희망을 퍼준 후, 누워 있습니다. 젓가락은 가족들의 기쁨을 집어서 가져다준 후에, 길게 휴식을 취하고 있습니다. 이런저런 그릇들도 꿈을 담아서 식구들에게 전하고, 서로 끌어안고 있지요.

다음 식사를 위해서　　　다시 살아가기 위해
하나하나 닦아 나가다 보면　　그 무질서하고 더럽기만 하던
식기들이　　　　　반짝반짝　깨끗 깨끗하여집니다.

마음도 그렇게 닦아야 합니다.　더러워진 마음도. 적어도 하루에 세 번 자기가 직접 꼼꼼히 닦아야 합니다. 일신우일신(日新又日新; 날마다 새로워지고 또 날마다 새로워진다)은 설거지를 제대로 할 때만 가능합니다. 먹고 설거지 안 하면 굶어 죽는다는 각오로 – 마음은 하루 세 번을 설거지하지 않으면, 쌓여가는 마음의 찌꺼기, 바이러스가 서로 엉키어서 마음은 병들게 마련이고 결국은 마음이 그냥 죽게 됩니다.

　　　　설거지는 마음 닦는 도량　임이 분명합니다.

뼛속까지 살짝 시린 바람이
아직 싸늘한 바람이
봄꽃 향기 나르고

등골 서늘한 매서운 바람이
아직 휑한 바람이
꽃잎 떨궈 꽃길 만드네
　　―「아직 싸늘한 그 바람이 꽃길을」

이 지경 나이 되어 바람 있다면
이 심지 끝까지 타 버린 지금 바람 있다면
아주 작은 알량한 바람 있다면
　　―「더 이상 차디찬 바람 없기를」

　3월을 춘삼월이라고 하지요. 봄꽃의 3월이라는 뜻이 들어있습니다. 하지만 아직도 멀쩡한 하루가 싸늘하기만 합니다. 센 언니 같은 센 바람이 새벽을,　밤을,　심지어는 낮까지도 아직 춥게 만듭니다.
　삼월의 바람. 춘삼월 아직 싸한 바람이 　**꽃향기도 불러오고요.**
아직 휑―한 바람이, 피고서 바로 지기 시작한 꽃잎마저도 떨구어
　　　　　　　　　　　　　　꽃길도 만듭니다.
　사람들은 서로 SNS로 인사를/축복을 할 때 "꽃길만을 걷길 바랍니다."라고 말을 하지요. "항상 행복하세요."라는 말도 꼽사리 껴서요. 그런데 이런 말은 진정성과 과학적인 Fact가 없는 언어입니다.
　　　　이 세상에 꽃길만 걷는 일은 없습니다. 절대로요.
　꽃향기도, 꽃길도 ― 잠시/ 어쩌다가 아닌,
　　　　　영원이 매서운 바람이 만듭니다.

꽃향기를 온몸에 휘감으며 살고 싶으십니까? 가능한 꽃길만을 걷고 싶으십니까? 여생만이라도 바람 없이 살기를 기원하시나요?

그런 일은 없지만, 그래도 그럴 가능성을 조금이라도 가지려면

바람을 얼굴로, 가슴으로 당당이 맞아가며 살 각오가 되어 있어야 합니다.   바람에 등을 보이면 안 됩니다.

두 – 둑, 심장이 멈추는 순간까지

비가 왔어요
하늘 무너져

벚꽃들이 다
떨어졌지요

일 년 기다려야
만난다 하면서

서운해진 황홀함
어쩌면 다시는
　　—「그래서 오늘만이
　　　　찬란한 것이라고」

비가 왔습니다.

봄비. 하늘 한구석이 아니고, 하늘 전체가 부스러져 쏟아지듯 비가 내려 주었습니다. 그것도 부서지고 쪼개지는 소리까지 Real하게 내면서 말이지요.

이런 모습이, 약간 약하고 좀 더 강한 차이만 있었지, 4일이나 계속 이어졌었는데, 벚꽃잎은 하나도 떨어지지 않았었습니다. 처음 이틀은 바람도 제법 불어 주었는데 말이지요. 그 가냘픈 벚꽃마저도 자기가 **때가 되지 않으면 스스로 내려놓지 않는 것** 이 자연의 섭리입니다.

그런 꽃잎들이 3일 전부터는, 일제히 스스로 땅으로 강림합니다. 더럽고 지저분하였던 땅이 찬란한 칸타타(cantata)와 함께 하얀 융단이 되었지요. 이런 자연의 장관을 다시 보는 일은 일 년이나 기다려야 합니다. 어쩌면 일 년 안에 험한 일을 당하여 못 볼 수도 있고요. 그래서 꽃 강림을 보고 있는 오늘이 바로

내가 죽어도 좋은 날이고, 찬란 그 자체의 날 입니다. 오늘에 정신을 집중하여서, 충실히 사는 사람은 '**매일이 꽃 강림절**'입니다.

오늘은 이렇게 죽어도 좋을 만큼 중요한 삶의 중심 임이 분명하지요.

혹시, 삶이 너무 고달프고, 지겹고, 넌더리가 나서 그만 살고 싶은 마음이 드시나요? 그것은 자연의 섭리에 정면으로 안 맞는, 부자연스럽고 참담한 태도입니다. 자연 일부분인 인간도 자기의 생명을 그 정도만 하는 시기는 분명 자연 섭리적이어야 합니다.

때가 되지 않았는데 생명을 내려놓으려 하는 분들.

오늘 하루만을 찬란이 살면

삶은 분명 그렇게 버겁지도, 지겹지도 않답니다.

그저 꽃 강림처럼 왕올알 따름이지요.

자연스럽게 태어났으니, 자연스럽게 살아가다가
자연스럽게 사라졌으면 합니다.

누구에게나
어려운 문제의 해결책은 시간인데
그 시간은 자연스러운 시간이 해결해 준답니다.

노란 기름 향기 가득한 길
35도 각도 뛰어 오르던 길

벌들마저 노랗게 물들여진
안 변하는 35도 내림 산길

한발 또 한발에 집중하여
   ─「자 ─ 내려올 때다」

집에서 오 분 걸어 나가면, 산길이 있습니다. 일주일에 한 번씩 산을 오르고 내리지요. 그 산에 매년 2월부터 시작하여 5월까지, 노란색 '화사스름하게 기름 냄새'가 나는 유채꽃이, 길가 양쪽은 물론이고 산 전체에 노란 불을 화끈하게 놓습니다. 그 노란 유채꽃 주위로 온통 벌들이 축제를 벌입니다. 그것도 매일 매일.

날아다니는 벌들마저 모두 노랗게 물들어, 노란 벌들로 보일 정도로 장관입니다.

산 정상에 다다르기 전에 35도 정도의 험한 경사길이 나오는데요. 늙은이라는 소리를 안 들을 때까지는 그 경사 길을 운동 삼아 헉헉거리며 뛰어올랐었습니다.   삶의 자세도 그랬듯이 말이지요.

힘든 일, 어려운 장애물 앞에서는 극복하려고 용감하게 뛰어다녔었습니다.

그러나 지금은   그러나 내려오는 산길에서는   더군다나 35도 경사 산길에서는   한발 한발   왼발 그리고 오른발 해 가며 발길에 집중하여 하산합니다.

그렇지 않으면   굴러떨어져서   여기저기 부러질 수도 있고요.   삶을 마감할 수도 있기 때문입니다.   **주위에, 나이가 지긋안데도 멀리 보면서, 발길을 급하게 하는 사람들이** 제법 많이 보입니다. 그래서 그럴 리야 없겠지만, 요즈음은 산 정상 부근에 유채꽃이 별로 많이 피지 않더군요. 아마도 유채꽃들이 '우리, 당신들 보라고 피는 것 아니거든요.'라고 하면서 다른 곳으로 이사 갔나 봅니다. 노란 벌들도 당연히 안 보이고요.

춥지 않길 바라는가
항상

병마가 없길 바라고
언제나

행복하길 기원하나
매일
　　─「그대
　　　불행하고 병들어 추운 이유」

사람은 왜 살까요?
　　☞ **매일 행복아기 위애서**
그럼 당신은 왜 안절부절못하나요?
　　☞ **불안애서**

조금 더 가지고 있어야 안심될 터인데.

누가 내 것을 빼앗아가지는 않을까

내가 누리고 있는 것들이 갑자기 없어지지는 않을까

그리고 당신은 왜 숨소리마저 불규칙하지요?

☞ **걱정되어서**

항상 따스했으면 좋겠는데, 왜 이렇게 춥지?

병 없이 항상 건강했으면 얼마나 좋겠어.

바로 이것에서 불행은 시작됩니다.   불행의 지름길   불행의 끝없는 미로   미로가 무엇입니까? 영어로 Maze.

서양에는 이 미로가 곳곳에 있지요. 입구로 들어가서 출구로 나오는 놀이인데 한번 입구에 들어서면, 출구 찾기가 쉽지 않도록 설계가 되어 있습니다. 주로 사람 키를 넘는 나무로 길을 만들어 놓았는데, 이 길을 들어서서 열심히 가다 보면 갑자기 막다른 골목이 나옵니다. 그러면 돌아서야 합니다. 왔던 길로 다시 돌아가서 다른 길을 찾아야 하지요. Los Angeles에서 90마일(145Km) 떨어진, San Diego 가는 길에, 대형 화훼꽃 단지 칼스배드에 가면 '화평선'을 볼 수가 있습니다. 지평선을 덮고 있는 꽃들이 하늘과 맞닿은 화평선.

언덕에서 내려 보면, 가깝게 바다가 보입니다. 파도를 훑고 온 바닷바람이 꽃향기를 맡으러 내려오면, 꽃들은 허리를 숙이고 바람과 함께 꽃향기 파도를 만들어 보이지요. 노랑, 빨강, 보라, 분홍 꽃들의 파도 놀이는 하늘에 이르러 꽃무지개까지 피어나게 합니다. 이 꽃 단지 입구에 콩 나무로 만든 미로가 있습니다. 3월 중순에 가 보면, 이 콩나무에 꽃이 피는데, 꽃이 얼마나 화려한지 모른답니다. 콩나무의 키가 그리 크지 않아서, 위에서 미로를 살짝 내다보면서 가는데도, 막다른 골목길에서 돌아서기를 몇 번을 하여야 출구를 찾을 수 있도록 설계하여 놓았지요. 어른들도 이런데, 콩나무 끝보다 키가 작은 어린이들은 이곳에 한번 발을 들여놓으면, 밖으로 나오지를 못해 진땀을 흘리기 마련입니다. 이런 모습을 보고

있노라면,　　　"인생이라는 것이 이렇구나." 하고 느끼게 됩니다.

　　　　삶 자체가 길을 잃도록 설계가 되어 있구나.

아이들은 키가 작으니, 삶의 키가 작으니 더 길을 잃고 헤매는 것이 당연하고요.　　　　부모들도 길을 잃고 헤매니,

　　　그들을 믿고 따라가던 아이들은 더욱 어쩔 줄 몰라 합니다.

길이 막혔을 때는, 왔던 반대로 나와 보아야 그래도 실마리가 보입니다.

계속 직진, 좌충우돌(左衝右突)아니, 계속 더욱 막이지요.

사람 몸이 저절로 항상 건강하지는 않고, 내가 몸을 돌보지 않으면 아프도록　　　　　　몸이 디자인되어 있는데,

　　　　　　　항상 병이 들지 않기를 바라고

삶이라는 그것이 언제나 행복하지만은 않도록 설계가 되어 있건만,　　　　　　기를 쓰고 조그마한 불행도

　　　　　　악착같이 피하려 긴장합니다.

이러면서, 자기 성질을 달달 볶아가며 영혼을 까맣게 끄슬립니다.

하늘을 보십시오. 땅을 보시고요. 비도 오고 천둥 번개 치고, 바람은 잘 날이 없는 것이 하늘인데 하늘을 보면서 바람 잘 날 없기를 바랍니다. **하늘이 바람인데**　　바람 잘날 없기를 바라시니

어느 정도　　　　　　추운 것을 택하시지요.

어느 정도는　　　　　아프려고 하시고요.

어느 수준　　　　　　가난하려고 작정하시면서

어느 수준은　　　　　불행을 감수하여 보시지요.

거꾸로 거꾸로 하여 보시라는 것　입니다.

그러면 항상 마음이 따스하게 됨을 느낄 수 있습니다.

마음이 따스하면 몸도 따뜻하여지고요.

그래야 지금보다는 좀 더 행복하고 건강하여질 수 있답니다.

미로에서 이젠 벗어날 때도 되지 않았습니까?

언제 까지나 미로에서 헤매시렵니까?

거꾸로 돌아 나오시지요.

거꾸로 생각하며 거꾸로 살다 보면, 감사하게 됩니다.

행복이란 단어에 현혹되지 마십시오.

행복은 5감에 잡히지 않는 6감에서만 감지되는 것입니다.

5감에 잡히는 감각은 오래가지 않습니다.

행복이란 단어를 쫓아가면 갈수록 행복은 멀어집니다. 행복을 포기하시고,　감사하기에 All - in 하면

행복은 그의 모습을 확실히 나타내며 나의 품에 안겨 줍니다.

감사하려면, 어느 정도의 불편을 추구하시고 배고픔과 목마름

불행을 당당히 맞이하십시오.

머리가 아닌 가슴에서 아는 감사만이 진정한 감사입니다.

가슴에서 맑게 솟아오르는 샘물 같은 DNA를 가진 감사는

어느 정도의 모자람에서 느껴지는 것　입니다.

이제 삶의 미로에서 벗어날 때　가 되었습니다.

하얀 별 박힌 눈꽃 핀 날

사람들은 예쁜 말을 한다

새해 복 많이 받으세요

아직 언 땅 동백 피기 전
사람들 같은 말 또 한다
새해 복 많이 받으세요

두 번씩 받으라고 받아지면
　　―「새해 복 많이 만드세요」

　새로운 한 해가 '빠꼼' 시작해 주는 날. 사람들은 서로 기쁘게 새해를 잘 지내시라고, 복 많이 받으시라고 합니다. 아는 모든 이들에게 같은 인사말을 하지요. 축복하는 것입니다.
　　실제로 복을 받으라고 해서 복을 받는다면 얼마나 좋을까요.
　다른 것은 안하고 오로지 이 축복하는 것만 할 것입니다.
　내가 복 받으라고 해서 내가 복을 주는 것은 아니지요. 내가 복을 빌어서 '복의 주제자이신 신'으로부터 직접 복을 받던지, '신'이 복을 줄 수 있는 사람이나 환경을 만들어서 복의 수혜자에게 준다는 것인데 이렇게 해서 복을 받은 사람은 복을 받았으니, 건강하고, 공부 잘하고, 사업 잘돼며, 승진하고, 합격하고, 소원하는 일 다 이루고, 행복할 것입니다. 반대로 복을 빌어 준 사람도 감사한 마음으로
　다시 상대방에게 답례로 복을 빌어서 그 사람도 덩달아 하늘에서 복을 받아 역시 건강하고, 행복하며, 소원하는 일 모두 이루어야 합니다. 　　　　**그래서 이런 일이 일어나던가요?**
　눈이 소복이 쌓인 안을 깊숙이 들여다보면,
　　　　　　별들이 그 속에서 쌔근쌔근 잠들고 있지요.

사뿐히 내려오는 함박 눈송이 속
지난밤 쌔근쌔근 잠든 별들

한 송이마다 별 하나 손 잡고 와

이 어지러운 세상 반짝이려

　－「눈송이 빛나는 이유」　❄ ❄ ❄ ❄ ❄ ❄

　눈송이는 빛이 납니다. 하늘에서 눈이 내려올 때, 한 송이송이 마다 별을 하나, 둘 데리고 내려와서 그렇답니다. 그 하얀 눈이 더러운 세상을 하얗게 덮고 있는 새해 첫날에, 사람들은 그렇게 축복하지요. 그것도 모자라. 땅과 함께 얼어붙어 있으면서도 빨간 피 토해내는 동백꽃이 피기 전인 설날에, 이 축복을 한 번 더 합니다.

그래서 이런 일이 일어나던가요?

　그런 일이 일어나지 않으니 － "살아갈수록 뒤를 돌아보니, 축복은 거의 안 이루어지더라." 할 수도 있고요.

　차라리 '복 받기를 기다리다 지치기, 낙담하기.'를 하기보다는 '나 스스로 복을 만들어 보는 그것이 확실하다.' '내가 복 농사를 정성껏 지는 만큼 복은 열린다.' '심는 대로 거두는 것 아닌가.' 건강해지려면 건강할 만하고, 공부 잘하려면 공부 잘할 만하고, 사업 잘되려면 사업 잘될 만하고, 승진하려면 승진될 만하고, 각종 시험에 합격하려면 합격할 만하고, 소원하는 일 이루려면 소원 이룰 만한

생각과 행동이　　　**내 뇌와 몸에 습관이 되도록 하는 수밖에 없다.**

라고 할 수도 있겠지요.

　　　그래도 모든 복은 하늘에서 준다며 계속

　　새해 복 많이 받으세요.　　**를 믿던**

　　아니다. 더 이상 마냥 기다릴 수는 없다

　　새해 복 많이 만드세요.　　**를 아던**

　　모두⋯ 별이 박힌, 눈꽃보다 아름다운 사람들입니다.

봄꽃들을 보라
바람이 기른 자식들

긴 밤이 얼마나 추웠는지
새벽 꽃잎 하나하나 아직도
서로 꼭 안고 오므려 펴지질 않고 있다

한낮 태양 아래에서도
바람에 흔들리다
일주일도 못 버틸 것을

꽃향기 이렇게 빚어지다가
여름에 무엇을 넘겨주는가
　―「봄은 그냥 간 것이 아니고
　　　여름이 그냥 오는 것도 아닌데」

꽃향기 어떻게 만들어지는지
아무도 가르쳐 주지 않았다

태초는 바람만을 낳고
바람은 찬바람을 낳아
찬바람 더 싸늘한 바람을 낳으며
어름보다 더 찬바람에 흔들려야 생명이 잉태되고
그렇게 모진 비바람에 흔들려야 향기 빚어지는 걸
아무도 가르쳐 주지 않았으니
　―「향기롭게 살아 있으려

그러나
흔들리지 않으려 하는
딱한 그대에게」

꽃에서 향기는 왜 날까요? 누구나 아는 것처럼, 생존을 위하여서입니다. 수분(受粉)하기 위하여 나비나 벌 같은 곤충 그리고 새들을 불러들이기 위한 생존 전략이지요. 그러면, 향기는 어떻게 만들어지는 것일까요? 어떻게 창조되었을까요?

태초에 하느님께서 하늘과 땅을 창조하셨답니다. 이것이 성서의 1장 1절입니다. 1절부터 20절까지는 순조롭습니다. 그러나 21절은 제가 성서를 청년 대학생들에게 가르칠 때 매우 난처하였던 부분이었습니다. 〈이렇게 하느님께서는 큰 용들과 물에서 우글거리며 움직이는 온갖 생물들을 제 종류대로, 또 날아다니는 온갖 새들을 제 종류대로 창조하셨다. 하느님께서 보시니 좋았다〉라고 되어 있는데 이 부분은 교회에서 공동 번역 성서를 새로 신자들에게 보급하면서 새로 만들어 넣은 부분입니다. 이 새 성서 이전의 성서에는 큰용/공룡 이야기가 전혀 없었지요. 학생들에게 성서를 가르치면서 과학에 근거한 공룡의 뼈들에 관한 이야기, 그리고 이에 대한 연대기들에 대하여 설명하기가 곤혹스러웠는데, 교회의 높은 곳에 서 계신 분들이 이런 일선 교사의 어려움을 헤아려 주셨는지 '슬그머니' 21절을 고쳐서 '살짝' 넣어 주셨지요. 이런 구절을 넣어 주셔서 Bible Study 시키는 데 도움은 되었는데 다른 한편 걱정되는 것은 〈성서를 교회의 권위로 고칠 수 있는가〉입니다. 이런 질문에 대하여 〈그렇다 그래서 고쳤다〉라고 하신다면….

그럴 바에는 이왕 고치시는 김에 그 권위로 2절과 3절 사이에 빠진 것을 새로 넣어 주셨으면 하는 소박한 바람도 있었습니다.

즉 2절은 '땅은 아직 꼴을 갖추지 못하고 비어 있었는데, 어둠이 심연을 덮고 하느님의 영이 그 물 위를 감돌고 있었다.'라고 되어 있고, 3절은 '하느님께서 말씀하시기를 〈빛이 생겨라.〉 하시자 빛이 생겼다.'라고 되어 있는데 이 2절과 3절에 무엇을 넣으면 저희같이 '밋밋하고 평평하다고 정의된 하급 평신도'들이 삶을 이해하는 데 큰 도움이 될까요?

무엇일까요?   바람입니다.   태초에 바람이 창조되었다.
바람의 조상은 바람을 낳고 이 바람은 자기를 닮은 – 자기를 쏙 빼어 닮은 비바람의 아들과 찬바람의 딸을 두었고 – 이들의 후손들은 모진 바람   사막 바람 – 사막은 가만히 놓아두어도 비참한데 말이지요.
거기에 모래바람도 밀어 넣습니다.

이 바람의 후예들은 또

맞바람   소슬바람   서릿바람

흙바람   손돌바람   회오리바람

소소리 바람   살바람   칼바람이 되었다

라고 성서에 넣어 주신다면 〈삶이 바람 그 자체〉라는 것을 확실히 알고

어망안 바람으로 우왕좌왕하지나 않겠습니다.

꽃이 향기로운 것은 바람 때문이고
사람도 향내 나는 것은 바람 때문

이 세상 모든 것은 치열함의 후예
바람 앞에서 춤추자 온몸 다하여
  ―「덩실덩실 바람과 함께」

지구 주인 나무는
꽃 내친 바로 그 자리에
열매 빚어내는데
  ―「그대는 무엇을」

진리.

진리(眞理: truth)는 진실, 참입니다. 종교, 철학, 산술, 대수, 기하, 물리학, 생물학, 화학, 의학, 우주과학, 지구과학, 인문과학, 공학, 의학, 경제학, 사회과학 논리학에서 나름대로 진리를 다르게 정의하고 있지만, 공통으로 '변하지 않는 사실'을 뜻합니다. 누가 보아도 맞는, 반론 여지가 조금도 없는 것이 진리이지요.

수학, 물리, 의학, 과학의 기초에서 말하는 진리는 반론의 여지가 없습니다. 현대에 들어와서 '응용'이라는 단어를 앞에 붙이게 되면 '변할 수도 있는 가설'이 될 수도 있어서 진리가 될 수 없지만, 기초에 관한 한 오랜 시간을 두고 과학적 검증을 거쳤기에 '진리'로 되기에 손색이 없는 것이지요.

사회과학, 경영경제학에서는 '진리'라는 단어를 쓰기에 미흡합니다. 보편타당성이지도 않고, 역사적으로 보아도 이 부분은 그리 성공적인 학문적 성과 그리고 진리를 설파할 정도의 사회적 기여가 보이지 않습니다. 경제적 부의 발전으로 인한 자연의 파괴, 빈부의 심한 격차 그리고 행복 가치의 오류 같은 심각한 부작용이 있기 때문이지요.   종교는 어떨까요? 어느 종교이든 오로지 자기네 종교가 진리라고 합니다. 내가 소속되어 있는 종교만 진리고 남의 종교는 진리가 아니라고 하지요. 주장하는 측에서 보면, 나의 종교 이론이 절대 불변의 진리이지만 다른 종교인들의 측면에서 보면, 반론의 여지가 하나 둘이 아닙니다.

이 반론이 논리적이라면, 당연히 다른 종교들은 성립도 안 되었을 것이고, 지금 존속도 하지 않을 것입니다. 그래서 모든 종교가 각기 반론의 여지를 안고 있는 셈입니다. 즉, 오로지 진리이기에는 객관성이 부족할 수 있다는 가정이 성립됩니다. 각자 자기들 주관에 의하여서만, 창립과 존립을 하였다고 하여도 논리가 성립되는 셈입니다.

내가 보기에는 진리이지만 남이 보면 진리가 되지 못할 수도 있으니, 이를 근거로 '다양한 종류의 분쟁'이 야기되고 인류의 많은 사람을 희생시켜 왔던 것이 '역사가 보여 주고 있는 진실'입니다.

서로 자기네만 진리라고 주장하였으나

자기네만 진리가 아닐 수도 있는 것이 진리

그래서, 종교적인 관점이 아닌 과학적 '싸늘한 시선'으로 눈매를 좁게 하여 지구를 쳐다보면, '왜 이 지구별이 초록별이 되었을까?'라는 생각에 이르게 됩니다.

초록색이 주(主)이기 때문이지요. 지구별에 삶이 기어다니고, 날아다니는 것은 모두 '주'로부터 왔다고 과학자들은, 시퍼런 증거를 대가며 주장합니다. 초록빛 나무가 바다에서 땅으로 올라와 주었고 나무가 들숨과 날숨으로, 매캐한 공기를 생명이 살 수 있는 공기로 바꾸었습니다.

나무는 **자기의 날숨이 생명체의 들숨이 되게 하고, 들숨이 날숨이 되게 하여** 생태계를 창조하고 지금까지 지탱하여 주었지요. 초록별이라는 것은 초록이 '주'라는 뜻이겠지요.

이 주(主)가 하는 주된 행동을 보면 주가 아닌 인간이 **주의 생태대로 살지 않고 얼마나 자연스럽지 않게 살고 있는가** 가 보입니다.

나무 삶의 목적은 향기 나는 꽃 피우기로 보이지만 온갖 시련을 오랜 시간에 걸쳐 빚어낸 그 꽃을 미련없이 떨쳐냅니다.

그리고는 바로 그 자리에 목적인 열매를 맺지요.

주가 아닌 그대여. 그대는 무엇을 떨쳐내시렵니까?
무엇을 맺으려 하십니까?

투둑 봄꽃 지며 나비에게
서러워 말아요
우리 때 되면 다시 만나요

나비도 사라지며 답하지
아파하지 말아요
우리 다시 만나 왔잖아요
　　―「그래서 영원한」

그 많던 봄꽃 지니
그 많던 나비도 떠나
파란 지구별 남은 건
　　―「텅 빈 지구」

지는 꽃과 떠나는 나비

때가 되면 다시 오는데
언젠간 다시 만나는데
　　―「저급한 인간은」

116

마지막 봄꽃 떨어지는 소리
쿵
지구 푹 꺼지고

마지막 나비도 사라지는 소리
슥
하늘 푹 꺼지니
  ─「땅 꺼지고 하늘 주저앉고」

마지막 봄꽃 떨어지는 것도 모르고
마지막 나비 떠나가는 것도 모르니
  ─「향기 안 나는 그대」

봄꽃 떨어진다며 서러워하고
나비도 사라진다며 애통하던
  ─「시인도 같이 사라지니」

꽃이 지네 꽃이
나비 가네 나비
  ─「나도 무너지네」

봄꽃들이 떨어지는 모습을 나비들이 지켜보고 있겠지요.

마지막 꽃이 지구의 한구석을 '쿠쿵' 엄청난 폭음과 함께, 부서트리며 떨어지면 그때야 마지막 나비도 '스스슥' 하늘의 한 조각을 잘라내는 날개 소리를 내며 떠나갑니다.

117

'세상에 이보다 아름다운 것이 어디 있나.' 하는 '꽃'과 '나비'는 서로 사라지면서도 그렇게 슬퍼하거나 괴로워하지 않습니다.

때가 되면
다시 만날 것을 알기에
헤어져도 다시 만난다는
약속을 안 번도 어기지 않았기에

그런데 인간들은 꽃들이 지는 것도 모르고, 나비가 떠나가는 것도 눈치 못 채며 그들이 굳은 신뢰 속에 때 되면 꼭 다시 만나왔다는 것을 낌새도 못 차립니다.

사랑은 절대로 배반하지 않고
사랑은 때 되면 다시 찾아오는
그래서 사랑이 향기롭고 영원안 것

이런 진(眞) 사랑을 모르고 그냥 사랑, 사랑, 사랑
저급한 노래나 부르고,   부실한 시나 쓰고,
조잡한 글이나 퍼서 나르니

사랑이 진실하게 표연이 되지도   못하고
영원안 사랑이 피어나지도   못하며
숭고안 사랑이 날아다니지도   못하네요.

바람도 떠는 때가 있다
누런 노인도
애 밴 여인도
한 살 아이도 덮쳐버리는 바람도

118

바람도 떠는 때가 있다
오늘 일 못 찾은 일용직
마흔 줄에 정리해고된
희망 없는 곳마저 치는 바람도

그 무시무시한 바람도
떠는 때가 있는 것이
　─「지구 위에서 일어나는 일들」

　　　　바람이 떠는 소리가 들리면
　　　　엎드려야 한다
　　　　뵈는 사람마다 패대기치는
　　　　그 바람 떨 때
　─「포복해야 할 때」

어떤 경우가 돼도
그 누구의 사정도
관심 없이 닥치는
바람도 떠는 때가 있다

방금 덮쳐 처넣고
다시 돌려 차버려
확인 실신시키는
바람도 떠는 때가 있다
　─「바람도 떠는 참 무서운 세상」

바람 자기가 무서울 때 분다
얼마나 겁나면 저리 도망갈까
바람도 저렇게 떠는 것 보면
이 세상 모든 것은 아슬아슬
　　－「얼마나 아슬아슬한 삶인가」

바람은 부는 것이 아니다
도망 다니는 것

얼마나 무서운 것 뒤 있나
바람 피해 다녀

바람 도망 다니는 길목에
서성이다 경치니
　　－「바람은 부는 것이 아니다」

보아라
얼마큼이나 잔인한가
바람이

저리도
꽃 피고 나비 나는데
모질게
　　－「바람 왜 잔혹하다 하는가」

푸른 지구별에서 하루도 빠지지 않고, 일어나고 있는 재앙들을 보

120

고 있으면 혹시, 바람도 온갖 재난을 퍼부어 대는 '검은 그림자'를 피해 도망 다니는 것은 아닐까? 하는 생각까지 하게 됩니다.

　인간은 원래, 개미처럼 바쁘게 돌아다니는 존재이니, 그저 바람이 도망가는 길목에서 어슬렁어슬렁, 알짱거리다가, 그야말로 '잘못된 시간, 잘못된 장소'에 있다가, '무지막지한 덮침'을 당하는 것은 아닐까?

　그래서 어떤 경우에도, 어떤 지역에서도, 막무가내로 덤벼드는 바람이 떨면서 돌아다닐 때는 그저 '**낮은, 높은, 응용 포복**'에다가 '**철조망 통과**' 자세로 납작하게 되어야 하지 않을까?

　　저리도 눈 시리게 아름다운 꽃 피고
　　이리도 마음 떨리게 예쁜 나비 나는
　　　　　　　　이 봄날에도 몰아치는 바람에
　　　－「봄바람에 내가 멀쩡할 리가」

　바람을 쥐고 흔드는 '잔인 혹독한 바람의 배후'에 덜컥 겁이 나기만 합니다.

　　봄바람 몸에 들어간다
　　부풀려지게

　　이 사람에도 들어가고
　　저 사람에도
　　　－「봄바람 주입경보」

　인간이 동물이라는 점에서 봄에는 조심하는 것이 좋습니다. 겨울 내내 꽁꽁 얼었던 세포 하나하나가 기지개를 피면서 스멀거리다가 '파다닥' 튀면서 움직입니다.

봄바람.

봄바람 때문입니다.

이 봄바람이 주사기에 들어가서 여자에게도 주사를 놓고, 남자에게도 주사를 '꾹 – ' 놓아버리면서 돌아다닙니다. 그러니,

사람들이 평소 용적보다 부풀려져 돌아다닙니다.

용적이나 면적이 부풀려져 있는 것은 분명

제 모습이 아닙니다.

달 보네
　　－「나를 보네」

낮달 보네
　　－「너를 보네」

낮달 보네
　　－「우리 보네」

한 줄 시, 한 줄 시 제목인, 시 3편입니다. 낮달은 낮에 보이는 달. 밤에 떠 있어야 하는 달이 낮에도 떠 있습니다.

보름은 왼쪽을 야금야금 내어주다가
또 보름 오른쪽 살금살금 불리다가

사람들 태양만 쳐다보면 줄어들다가
달 보고 시 쓰고 노래해 늘어나다가

그렇게 한달
그렇게 반년
그렇게 일년
그렇게 백년
　―「그래도 안 보는 낮달」

낮달을 누가 보는가
그 있지도 않은 달을

낮달 누가 안 보는가
항상 거기 있는 별을
　―「달에서 별빛 보는 그대에게」

새벽에 일 찾아 떠난 젊은이
일 없이 돌아오는 어깨 넘어

아직 마르지 않은 눈물 자국
야윈 여인 얼굴 위 또 흐르는

상심 넘어 야속 원망 그늘 속
한숨마저 가늘어 진 눈동자 뒤
　―「낮달은 그때 뜬다」

밤 달은 네가 보고
낮 달 나만 보는가
　―「모두가 같은 달 보면서 왜」

창호지 같은 낮달
어쩌다 창백해졌나
바람 닥쳐 그마저
훅 날아가 없어지니
　— 「나도 따라 사라지니」

꽹과리 치자
낮달 밑에서

징을 울리자
우리 낮달과
　— 「우리는 흙 낮달」

완안 낮에도 두둥실 떠 있는 달을 언제 보셨나요?

　낮에도 사라지지 않고 계속 눈에 띄는 이런 달을 '낮달'이라고 합니다. 달이 우리에게 보이는 이유는 달 한 면이, 노란색 별인 태양의 빛을 지구로 반사하기 때문입니다. 노란색 해의 빛은 당연히 노랗게 보이게 되지요. 빛은 특성상 여러 색을 섞으면 흰색이 되기 때문에, 낮에 뜬 낮달은 노란 달빛과 파란 하늘빛이 혼합되어 하얀색으로 보이게 됩니다.

　밤이나 낮에도 달은 항상 떠 있지만, 낮에 달이 떠 있다고 생각하며 일부러 달을 쳐다보는 사람은 그리 많지 않습니다.

낮달은 왜 이리도 나 같고, 당신 같고, 우리 같은지요?

124

낮달은 희미합니다. 항상 거기 있지만, 존재감이 덜합니다.

우리 같이

낮달은 가끔 나타납니다. 당연히 사람들의 관심이 없습니다.

우리 같이

낮달은 금세 사라집니다. 나타났다가 슬쩍 없어지고 맙니다.

우리 같이

태양 빛과 같이 번쩍이는 것만을 쫓아가는 현대인들에게 낮달은 흙수저들의 Icon이자 Symbol입니다. 아무리 열심히 밤낮으로 일하고 공부해 보아도 맨날 그 자리입니다. 그 자리 지키려 전전긍긍하다가 사라집니다. 이 차디찬 늑대들의 땅에서는 조금 있으면 사라질 사람에게, 아무도 관심을 주지 않습니다. 이 '존재감 없음'은 대를 물림을 특성으로 하고 있습니다. '낮달'들의 아들, 딸들은 또 '낮달'만을 낳습니다. 이 '낮달'들은 또 부모 낮달과 같은 삶을 살다가 또 '낮달'을 낳을 것입니다. 우리 낮달들의 힘겨운 대물림은 이렇게 계속될 것이지만

그렇다고 우리가 달이 아닌 것은 아닙니다.

그저 어지럽게 돌아가는 세상에 현란한 눈동자밖에는 없는 현대인들이 못 볼 뿐입니다.

달별에 사는 토끼를 보셨는지요?

토끼는 인도의 고대 범어(梵語)에도 달의 다른 이름으로 쓰이고, 중국 대당서역기(大唐西域記)에도 기록되어 있을 정도로 오래전부터 인간과 문화적으로 함께 하여 왔습니다.

노인으로 변신한 제석천(帝釋天 : 불교의 수호신)을 위해 토끼가 몸을 던져 공양하여, 제석천이 토끼 형상을 달에 새겨 이를 후세에 본이 되게 하였다는 데에서 '별에 사는 토끼' 이야기가 유래되었고요.

우리나라는 통일 신라 때 기와의, 동그란 달 모양새의 수막새에 토끼 문양이 보일 정도로, 오래전부터 달 토끼가 우리 민족과 같이하였습니다. 밤 달에는 토끼가 안 보입니다. 밤 달에는 토끼가 살지 않기 때문입니다. 하늘의 토끼는 낮달에만 삽니다. 밤 달은 노란 빛 태양 빛 찾는 이의 별 **낮달은 하얀빛 상심한 이들의 그늘 별**

옥토끼(선토 ; 仙兔, 옥토 ; 玉兔, 은토 ; 銀兔, 월묘 ; 月卯)는 탐욕이 넘치는 노란빛의 밤 달에서 견디지 못하여 결국은 도망 나온 토끼입니다.

낮달 선토 같이 천천히 숨을 쉬었으면 좋겠습니다.
안 보이는 듯 조용히 평화롭게 살았으면 합니다.
결국, 낮달의 선량한 사람들이 더 행복할 수 있지요.

불
온통 폭발된 불덩이
쇠
불길 쏴 올려진 쇠

막는 것 아무것도 없다
태우고 또 태워 가벼워
목표 향한 궤도 오르니
　— 「로켓 그리고 수련」

스페이스 셔틀(Space Shuttle, Space Transportation System, STS)은 미국 항공우주국(NASA)에서 개발된, 우주와 지구를 왕복하

126

기 위해 만들어진 우주선입니다. 1981년 4월 12일, 두 명의 승무원이 컬럼비아호를 타고 최초로 우주여행을 했습니다. 이 여행선은 여러 번 재사용이 가능하도록 설계 제작되었지요.

이 우주선이 출발하는 모습을 보면 온통 불덩이입니다. 폭발하는 불벼락이 그 무거운 쇳덩이 우주선을 하늘 높이 오르게 합니다. 추진력의 71% 정도를 고체 로켓 부스터가 역할을 하지요. 이륙한 후 126초가 지나면 고체 로켓 부스터는 분리하여 떨어져 나가게 되며, 이후에는 주 엔진에 의하여 가속되어 궤도에 오르게 됩니다. 계속되는 연료소진에 따라 무게가 가벼워져서 속도는 줄지 않게 되고요.

주 엔진은 추진제를 매우 소진하기 전에 꺼지고 빈 외부 탱크는 볼트가 폭발하면서 떨어져 나가게 됩니다. 이렇게 탱크를 또 버리고 궤도 기동 시스템(OMS) 엔진을 가동합니다.

이 세상 제일 높이 하늘 나는 것
솔개도 아니고 독수리도 아니니

진정 높이 날고자 하는 이들이여
불덩이 열정으로 가벼워지려고
　　－「로켓 그리고 가벼워짐」

사람들은 하늘을 날고 싶어 합니다. 자유롭게 되고 싶은 간절한 소망 때문입니다. 그래서 하늘을 나는 새를 부러워하지요.

하늘을 높게 높게 나는 것은 새가 아닙니다. 독수리, 솔개보다도 더 높게 나는 것을 인간이 만들어 내었습니다.

발사 추진체, 로켓이지요. 그 발사의 모습을 보면, 주위의 것은 다 타 버릴 정도의 불덩이가 터져서 그 힘으로 본체를 쏘아 올립니다.

모든 에너지를 집중하는 불덩이의 모습을 보고 있노라면, 인간이 '하늘을 날기가 얼마나 힘든가.' 하는 생각이 듭니다.

사람이 자기의 목표를 달성하기 위해서는 모든 것을 한군데로 모으는 불덩이 같은 '집중력'이 절대적으로 필요합니다. 그리고 그 목표를 위해서 주위의 모든 것은 떨쳐낼 수 있어야 하고요.

1969년 7월 20알 선장 닐 암스트롱이 아폴로 11호를 타고 달에 인류의 발자국을 남긴 지 벌써 반세기가 훌쩍 넘었습니다. 그런데 아직도 인류는 달에 사는 토끼를 만나지 못했지요.

달에 사는 토끼는 무엇입니까?　　　　토끼가 거기 사는 이유는 뭘까요?

달에 내가 가야 하는 뜻은 뭐고요?

나의 우주선은 무엇이고　　　　그 우주선을 올리기 위해서

나는 무엇을, 뜨거운 불로 살라 버립니까?

집중된 수련은 내가 달 속 토끼와 더불어 사는 것.

나의 지고안 행복의 꿈을 이루는 것.

철옹성

철밥통

에서

포용성

융통성

으로

―「안 가면 몰락할 종교」

'철'자가 들어가는 단어는 갑갑하기만 합니다.

철로 만든 성 '철옹성'이 안 무너지는 것도 아니고, 철로 만든 밥통이 마냥 단단히 영원한 것도 아니지요. 무너지고 있는데 안 무너진다고 하고, 녹이 슬어 썩고 있는데도 끄떡없다며, 자기 착각에 현실 감각 상실까지 겪고 있는 것이 있습니다.

종교입니다.

기독교의 경우, 아프리카, 아시아 지역에서는 기독교인 숫자가 약간 늘고 있지만, 기독교가 시작하고 번창했던 유럽, 북미 지역에서는 지속해서 감소하고 있습니다. 오래될수록 성장을 하여야 하는데, 감소하는 것은 '다녀보니, 아니더라.' 내지는 '글쎄, 잘 모르겠더라고.'식 사고가 점점 퍼지기 때문일 것입니다.

무신론자와 불가지론자가 성경과 종교에 대해, 기독교인들보다 더 해박한 지식을 가지고 있다는 보고서까지 있습니다. 스티븐 호킹, 알베르트 아인슈타인, 찰스 다윈, 마리 퀴리 같은 과학자들은 유명한 불가지론자들입니다. 종교를 현미경 위 또는 슈퍼 망원경으로 들여다본 사람들이지요.

불가지론(不可知論, agnosticism)은 그리스어 agnôstos(지식 또는 앎 혹은 지식)과 gnosis(모르다)의 합성어입니다. 믿는 것에 확신이 없다는 뜻이 됩니다.

불가지론은 '신의 존재를 논하는 것 자체가 무의미'하다고 보는 부류와 '알 수 없기는 하지만, 신의 존재에 대한 논의는 이루어져야 한다.'라는 의견을 견지하는 부류가 있습니다. 종교인들은 불가지론자들을 무조건 무신론자로 보지만, 이들의 상당 부분은 유신론과 무신론을 모두 진지하게 고려해 보는 사람들이기도 합니다.

모든 종교는, 처음부터 배타적인 색채를 띠며 시작하였습니다.

내 것만 옳고 나와 조금만 달라도 내치는 것이지요. 거기다가 설화, 신화, 전래, 종교 제도, 교리, 율법, 교회 전승 같은 내용을 너무 강조하여 왔었습니다. 그것도 모자라 '기복신앙' 색채를 진하게 하다 보니, 신앙의 중심인 영성에서 멀어져 '인간 삶과 괴리'를 자초하게 되어 사람들은 종교에서 점점 멀어지고 있습니다.

특히 인류의 미래인 청년층이 종교를 보는 눈은 싸늘하기만 합니다. 이러한 '청년층 탈종교화 현상'은 시간이 지날수록 심화할 것입니다.

이제 종교는 달라져야 합니다. 지금 청년들이 보고 있는 종교의 색채는 '매캐하고 칙칙'합니다. '사랑스럽지 않다.'라는 Identity에서 정체되어 있지요. 오랜 종교 역사를 모르는 젊은이들이 아닙니다. 현재도 종교인들에게 '자비와 사랑'은 그저 입술에서 떠도는 단어들이고, 가슴에서는 '보복과 미움'이 팽배해 있는 것도 청년들은 잘 알고 있습니다. **이제 내려와야 합니다.**

종려 ~~~~~~~ ~~~~~~~~~~~~ '인본주의'를 강조하였듯이, 스승들의 가르침 핵심으로 돌아가야 합니다. 예수, 부처, 무함마드는 인류의 위대한 스승입니다. 이들의 가르침을 묵상, 참선, 명상하고 여기에서 얻은 '깨달음'을 직접적인 삶이 되게 하며, 이것이 습관이 되도록 수련하는 프로그램에 집중하지 않으면 종교는 서서히/갑자기 몰락의 길로 들어갈 것입니다.

삼월 말
비 오는 게 비정상인데
이제는 쏟아지는 것이 정상인 세대

뒷마당

고인 물에 구름 비치다
바람에 물 흔들리더니 구름 사라지나
　ー「ㅇ」

남가주에 3월 말에는 비가 오시지 않는 것이 정상입니다. 그런데 몇 년 전인가부터는 아주 자연스럽게 비가 오십니다.

비정상이 정상인 세대
어떤 것이 정상이고 어떤 것이 비정상인지 모르는 세대

에 사람들이 지구별 위에서 아슬아슬하게 붙어살고 있습니다.

뒷마당에 비가 많이 오시게 되면, 물이 고이는 부분이 있습니다. 물이 많이 고여 있으면 비님께서 많이 오신 것이고, 그렇지 않으면 덜 찾아 주신 것으로 보는 곳입니다. 이 웅덩이 고인 물에 하늘의 하얀 구름이 빠져 있습니다.

간밤 퍼부은 빗방울 고인
허름한 뒷마당 웅덩이 속에
하얀 구름 폭 빠져 버렸는데
　ー「누가 건져 주려나」

갑자기 몰아친 찬바람에 거울 같던 웅덩이 물이 흔들립니다.
흔들린 후 잔잔해진 물에는 아무것도 없습니다. '그 잠시 사이에'

웅덩이 물은 무엇입니까?

하얀 구름은 무엇이고요?

없어진 구름 자리에는 무엇이 있나요?

이 잠시에 일어난 일은 무슨 의미가 있을까요?

-------- 텅빈 O --------

눈 감으면 비로소 보이는 것이 있다
귀 막으면 비로소 들리는 것도 있고
입 닫으면 비로소 전달되는 것 있어
　－「비로소 푸른 생명이」

현대인치고 일부러 눈 감고 다니는 사람이 어디 있습니까?
　전부가 눈에 힘주고 더 많이 보려고만 하지요.
주위를 보세요. 누가 귀 막아 안 들으려고 하는 이 있나요?
　대부분이 좀 더 쫑긋하여 더 들으려고만 하지요.
살펴보시면 압니다. 침묵하는 이 찾아볼 수가 없지 않나요?
　목에 핏줄 세워 더 크게 많이 말하려고만 하지요.

그런데　지금 보고 있는 것은 아무 소용없는 것들입니다.
　　　　지금 듣고 있는 것들은 시끄러운 소음일 뿐이고
　　　　지금 말하고 있는 것들 그저 아무 의미가 없어

그래서　　생명이 갉아 먹힙니다.
그래서　　진리를 몰라 엉뚱한 사람과 장소에 있습니다.
그래서　　제 길을 몰라 이리저리 그저 헤매기만 합니다.
　　　　감아 보시지요.

보인답니다.

막아 보시지요.

들린답니다.

닫아 보시지요.

전해집니다.

산속을 그저 헤매며 소 찾는 동자 있다
어렴풋이 슬쩍 보이는 소 지나간 발자국
간신히 소를 본 것 같으나 꼬리만 보여
드디어 소에 고삐를 매었다 검정색 소
길들여갈수록 점점 하얗게 변하는 소
알아서 가는 소 타고 피리 소리 퍼지고
고향에 돌아오니 소는 어디로 가버려
이제 나마저 사라져 버린 공의 경지니
텅 빈 곳에는 깊은 산 지혜 꽃 피었네
중생으로 낮추어 그들을 구원할지니
　　－「십우도(十牛圖) 속 나」

　사람을 경지에 이르게 하는 수련의 올바른 과정을 잘 표현한 그림들이 있습니다. 　　　　　　　　　　　　　십우도.

　절에 가보면 절의 벽에 그림들이 보입니다. 대개 보면, 십우도나 팔상성도입니다. 팔상성도는 주로 대웅전에 그려져 있는데 석가모니 부처님의 생애 그림이지요. 십우도는 도를 닦는 수행을 소와 함께 하는 과정을 통하여 비유한 그림이고요. 마음을 닦는 것을 중요시하는 선종 계통의 절에 많이 그려져 있습니다.

그림이 열 개라 십우도(十牛圖)라고도 하고, 소를 길들인다는 뜻의
목우도(牧牛圖)라고도 합니다.

첫 번째 그림은 심우(尋牛) : 소를 찾으려 헤맴
      – 도를 찾겠다는 발심입니다.
두 번째 그림은 견적(見跡) : 소의 발자국 자취를 봄
      – 본성의 실마리
세 번째 그림은 견우(見牛) : 소를 멀리서 발견함
      – 마음의 움직임을 봄
네 번째 그림은 득우(得牛) : 소를 직접 얻음 – 참 자아를 찾음
다섯 번째는 목우(牧牛) : 소를 키우는 것 - 깨달음의 수행
여섯 번째 기우귀가(騎牛歸家) : 소를 타고 집으로 돌아옴
      – 소와 내가 일체됨.
일곱 번째 망우존인(忘牛存人) : 소를 잊고 나만 존재
      – 깨달음의 성취.
여덟 번째 인우구망(人牛俱忘) : 소도 나도 잊어버림
      – 모든 집착을 버림.
아홉 번째 반본환원(返本還源) : 본래의 근원으로 돌아옴
      - 열반의 단계.
열 번째의 입전수수(入鄽垂手) : 세속으로 들어가
      - 진리로 중생들을 구원함.

동자(童子 : 수도자)와 소(牛 : 참된 자기모습 또는 도)를 등장시켜,
수련자가 득도하여 자유롭게 되고, 자기가 찾은 '진정한 행복'으로,
세상의 진흙탕에서 고생하는 중생들을 구하는 과정을 그렸습니다.
지역에 따라서 말을 등장시키는 십마도(十馬圖), 테벳 지방에서는
코끼리의 시상도(十象圖)가 있으나, 한국에서는 우직하게 뚜벅뚜벅

순수하게 걷는 수행자의 모습이 한국인의 정서에 맞아서, 소 그림만
이 전래되고 있지요.

  고삐를 쥐고 풀고 하여 소가 자유롭게 따르는 다섯 번째 그림과,
가만 놓아두어도 알아서 가는 소 위에서 구멍이 뚫리지 않은 피리를
불며 고향 집으로 돌아오는 여섯 번째는, 과연 구도자가 어떻게 도
를 닦아야 하는가를 보여 줍니다.

  소도 잊고 나도 잊어버리는 일곱 번째, 여덟 번째의 그림은 감동
을 안겨 주지요.

  검은 옷, 하얀 옷 그리고 먹물 옷 입은
                    각종 종교의 수도자, 성직자들에게 묻습니다.
  그대들은 과연 이   **열 단계 중에 어디쯤 와 있는지요?**   차례차례
단계를 거치어 그대가 득도하여 남 앞에 나서고 있는지요?
  그대들의   **양심에 다시 묻습니다. 그대는 누구입니까?** 우리 앞
에 목소리 높이는 그대는 과연 어느 정도의 과정에 있는지요?

  엄중히 고요함 속에 조용히 '자기를 사르는 촛불' 하나 앞에 놓고,
                    절대 침묵으로 자기 양심에 물어보세요.
  소의 발자국은 보았습니까? 꼬리는요? 고삐를 쥐지도 못하고 있
지는 않은지요? 하얀 소를 타기는 했습니까? 구멍 없는 피리를 불고
있습니까? 흰 소가 사라졌습니까? 자기 자신도 사라졌습니까? 낮
추고 또 낮추어서 신자들의 위치에서 그들을 진정으로 구원했나요?
  신학대학, 수도원, 강원(講院), 선원(禪院)에서 발자국, 꼬리를 보
기는 했습니까?네 번째 고삐도 못 쥐면서 고삐 대신,
                    선량한 신자들 목을 쥐고 있는 것은 아닙니까?
  다섯, 여섯 번째, 하얀 소는커녕, 검정늑대(돈, 권력, 명예)와 몰

려다나나요? 피리 대신 그냥 성능 비싼 마이크로 목에 핏줄 보이지는 않는지요? 큰 절간, 교회, 회당에, 높은 의자에 앉은 자기만 있지는 않습니까? 목에, 어깨에 힘 잔뜩 들어가, 신자들에게 추앙을 받고 있습니까?

봄입니다.

여기 빨간 꽃이 있습니다.

이 글을 읽고,　　**양심에 발강게 부끄러움이라도 오른다면**….
　　　　　　　　빨간 꽃이 보이련만.
빨갛게 보이지 않겠네요.

물고 또 물어라
삶이 끝나는 날까지

물고 물다 보면
예수 부처 첫 걸음 속
　ー「왜 첫 발걸음」

눈을 감고 깊은 묵상에 이르면, 예수님의 발걸음이 보입니다. 고난과 핍박 그리고 십자가의 죽음이 예견된 공생활을 시작하게 하기 전, 악마의 유혹이 기다리고 있는 광야에서, 사십일 단식을 하려 내딛는

그 첫 발자국.

부처님의 첫 발자국도 보입니다.

싯다르타 왕자는 왕궁을 떠나 밤새워 길을 재촉하여, 아노마(지금

의 라프티강) 강가에 이르러 삭발하고 신발과 비단옷을 벗어버립니다. 그리고는 깨달음을 얻기 위해 거친 세상을 향해 첫걸음을 내딛지요. **그 첫걸음**

세계 인구의 4분의 1, 18억 2천만 명의 무슬림 창시자, 무함마드의 첫걸음도 보이고요. 편안한 삶을 뒤로하고 천사 지브릴(가브리엘)의 계시를 받기 전, 메카 북쪽 교외 안누르 산, 히라 암혈에서 명상과 기도를 위한 은둔생활을 하려고 내딛는 무함마드의

그 처음 내딛음

이 첫걸음이 Colorful하게 종교별 Music과 함께, Real하게 자주 떠오릅니다. 왜 불교가 생겼을까? 왜 기독교가 시작되었을까? 왜 이슬람, 힌두교가 생겼을까? 이 질문은 '그 거룩한 첫 발자국'에서 해답이 보이기 때문입니다.

기독교는 '성경' 불교는 '불경' 이슬람교는 '코란' 힌두교는 '베다'에서 그 해답을 찾을 수도 있지만, 이들 종교가 지금 존재하고 있는 이유는 바로

이 첫 행보에서 찾아야 합니다.

거칠고 먼지 풀풀 나는 길에 남루한 신발 한 짝이 첫걸음을 내딛습니다. 사람을 온갖 고통에서 해방해 자유롭게 하고, 인간에게 평화와 행복한 길을 보여 주려고

먼저 스스로 가 보는 이 첫걸음.

이 첫걸음들이 추구하는 것은 종파를 떠나서 하나였습니다.

아타(我他) 구원

자기를 구원하고 남을 구원함이었지요.

인간들은 한 번뿐인 삶을 지구 푸른 별에서 지내며, 온갖 고통을 겪습니다. 불안해하고 걱정에서 헤어나지 못하며, 온갖 실패를 경험

하고, 그때마다 뼈까지 쑤시는 아픔으로 신음하다가 일생을 마감합니다.   한 줌의 재로.

　부처님, 예수님, 무함마드는 이렇게 삶을 영위한다는 것에 큰 회의를 느끼고, 더 이상 이렇게 살지 않겠다는 각오를 세웁니다. 이것이 바로, 자기 구원입니다.

　이렇게 자기가 구원되고 나서 이에 대한 확신으로 다른 사람들을 구제하려고 가르침을 베풉니다.

　　　　　　이것이 바로　　　　아타(我他)구원입니다.

　　　성인들 첫걸음의 뜻과 같이하는 것이 바로 **'영성'**이고요.

　자기도 구원을 못하면서 남을 구원하겠다고 목소리 높이는 자가 얼마나 많습니까? 자기 하나 간수 못하며, 다른 이들에게 길을 알려주려는 자가 너무 넘칩니다. 자기는 그렇게 못하면서, 남에게 그렇게 하라고 하는 이들이 우리 곁에 있습니다.

　강론을 듣고, 설교를 듣고, 또 설법을 듣고 또 들어도, '아 – 저 영성의 말씀' 이런 탄성이 나오질 않습니다. 그저 종파사수의 타성에 젖어서 '사람들을 선동'하는 소음 수준에서 벗어나지를 못합니다. 화자의 영성은커녕, 인격의 밑바닥이 훤히 보이는 앙상한 '아무 말 잔치'만 하고들 있습니다. **참으로 시리게 안타깝기만 합니다**.

　영성이 없는 이들이, 스승들의 가르침을 왜곡하여 호도하고 있습니다. 영성 없는 종교는 결코 자기는 물론, 남, 인류를 구원할 수가 없습니다.

걸이 뾰족한 이 있다
척박한 곳에서
근근이 견뎌온

껍질 등터진 거북같이
바늘 끝 마음
추위 살아남아
　－「솔향 나는 이 있다」

꼬였구나
배배

터졌구나
등걸

뾰족하고
잎이
　　　그리도 넘실 파도에 실려 온
　　　칼바람 천 년간 막아서더니
　　　　　　　－「하조대 해송」

　푸른 별이 푸른 별이 되기 위해서, 2억 년이 넘게 지구 겉껍데기
에서 살아온 식물이 있습니다. 고사리, 씨가 없는 식물 그리고 겉씨
식물입니다.
　겉씨식물(gymnosperm)은 씨가 겉으로 드러나는 식물이지요. 침
엽수는 대부분 겉씨식물입니다. 지구에 널리 퍼지던 겉씨식물은 중
생대에, 활엽수를 말하는 속씨식물(Angiosperm)이 나타나면서 점
점 개체수를 줄여야 했습니다. 쇠퇴하기 시작한 것이지요. 활엽수는
기온이 따스하고 살기 좋은 열대지역을 점령하고, 침엽수는 척박한
환경인 고산지대, 고위도에서 근근이 살아가고 있습니다.

현재 속씨식물은 약 30만 종류로 10억 년 이상 지구를 지배하고 있습니다. 겉씨식물은 현재 1,000종 정도 되며 그나마 1/3 정도가 멸종위기를 겪고 있고요.

상록 침엽수는 잎이 뾰족하거나 가느다란 사시사철 푸른 나무입니다. 소나무(korean red pine), 가문비나무(Spruce), 전나무(fir), 솔송나무(hemlock tree) 등이 이에 속합니다. 그중에 대표는 소나무이고요. 소나무의 '솔'은 '으뜸'을 의미 합니다. 바늘 같은 잎은 두 개가 한 묶음이지요. 껍질은 거북이 등처럼 갈라져 있습니다.

오죽하면 잎이 바늘 같이 되었을까
누가 찔러서 그렇게 됐나
원수 찌르려 그렇게 됐나
오죽하면 등이 그리도 터져 버렸나
누가 두드려 그렇게 됐나
가까이 오지 말라 그렇게
　　─「오죽하면 소나무」

동해안 여행할 때 범상치 않은 Force를 간직한 소나무를 본 적이 있습니다. 바위에 홀로 살아남은 소나무. 하조대 소나무입니다.

미국에도 이와 비슷한 소나무가 있지요. 샌프란시스코 17마일 관광코스(카멜에서 델몬티 포레스트를 거쳐 퍼시픽 그로브까지 가는 길)의 끝부분에 있는 사이프러스 소나무(The iconic Pebble Beach Lone Cypress Tree)입니다. '외로운 소나무'로 알려졌지요. 하조대 소나무처럼 바위에 뿌리를 내리고는 온갖 찬바람을 안고 살아가고 있습니다.

외롭게 서 있는데 절대로 외롭지 않을 것 이라는 확신이 드는 나무.

하조대의 소나무와 이 17마일의 소나무가 서로 마주 보고 대화하고 있습니다.　　8,944킬로미터 사이에 어떤 대화가 오고 갈까요?
미국과 한국 사이의 역사를 곰곰이 살펴보시면, 들릴 수도 있겠네요.　　　　　경제, 무역, 외교, 군사, 정치, 이민
　　5,558마일 태평양 사이에 이런 대화 말고도 다른 이야기도 있겠지요.　　　사랑, 미움, 용서, 화해 그리고 다시 사랑.

오늘도 춥네
어제도 바람 차더니　　　
내일은 더 차겠지

오늘도 파도
어제도 파도 높더니
내일도 더 그렇겠지

우리 이렇게 뾰족한 바늘 잎 되도록 외로웠고
우리 서로 몸이 갈라지도록 떨어서
우리 향기 이리 그윽 찬란한가
우리 이 기상 두 민족민초에 오래도록 전하세
　　ㅡ「하조대 그리고 사이프러스 송(松)」

꽃 지지 않고
열매 맺는가

나 지지 않고
무슨 결실을
　　ㅡ「언감생심」

언감생심(焉敢生心)은 焉 : 어찌 언, 敢 : 감히 감, 生 : 날 생, 心 : 마음 심 자로 이루어진 사자성어입니다. 어찌 감히 그런 마음을 갖는가? 꿈도 꾸지 마라, 라는 뜻이지요.

온갖 정성을 다하여 향기로운 꽃을 피운 나무는 1주일도 안 되어, 그 꽃을 버립니다.

나무는 어렵게 노력하여 빚은 향기로운 꽃을 버린 바로 그 행동으로, 바로 그 자리에 열매를 맺습니다.

사람이 상당한 노력을 하여 성취한, 꽃 같은 결과를 내려놓지 않고 더 깊은 뜻을 이루려고 하는 것은 언감생심입니다.

그럼 꽃 피운 것은 소용없는 일일까요?

그럼 꽃은 열매 맺기 위한 희생제물일 뿐인가요?

버려진 것은 그저 쓰레기입니까?

꽃은 꽃대로

진 꽃은 진 꽃대로

열매는 열매대로

찬란합니다. 아름답습니다.

　－「내려놓으면 그대도」

다만, 더 숭고한 뜻이 있다면 내려놓아야 합니다.

저 자연의 주인 꽃나무들처럼.

열매는 다른 곳에 열리지 않는다

향기 사그라지고

꽃잎 시들어진

바로 그곳

사람 열매 아무 데나 열리지 않는다
기쁨 사라지고
고통 시련 있는
바로 그곳
  ─「바로 그곳」

우리 민족에게 이분께서 안 계셨으면 얼마나 '우리 한민족이 초라해 보일까?' 하는 분들이 계십니다. 세종대왕과 이순신 장군입니다. 이 두 분이 안 계셨으면 우리 역사는 남루하기 짝이 없는 누더기 넝마 그 자체였을 것입니다. 특히, 이순신 장군은 온갖 역경을 이겨내고 민족의 자긍심을 대대로 지킬 수 있게 해 주신 분이지요. 장군님의 난중일기에 '필사즉생(必死則生) 필생즉사(必生則死) : 죽고자 하면 살고 살고자 하면 죽을 것이다.'라는 말은 잘 알려져 있습니다. 명량해전 하루 전 13척의 배로 130척의 침략 일본 배와 싸움을 앞두고 백성들에게 비장하게 했던 말입니다.

열매는 아무 데나 열리는 것이 아니지요. 화사하고 향기롭던 그 꽃들이 떨어진 바로 거기에 열매가 맺습니다. 고통과 시련을 이겨내고 간신히 꽃을 피웠지만 그 꽃을 '죽는 각오'로 스스로 떨어버린 자리에 열매, 새로운 삶이 살아나게 됩니다.

죽으려고 작정한 그 자리에 민족의 찬란한 열매가 맺어졌습니다.
우리 민족의 자랑스러운 역사의 열매.

묘비명의 일등은
나누며 살다가 이젠 간다
이등은
맺힌 한 다 풀고 떠난다

143

삼등은
내 마음대로 살다가 간다
　—「3등 안에도 못 들면 어쩌지」

　사람이 죽기 전에, 미리 자기 묘비명을 적어 놓았으면 합니다. 어떤 단체의 장이나 학위는 물론이고, 가면서까지 자기 자랑으로 잘난 척하여서, 보는 이들이 오글거리지 않게 하는 성찰적 묘비명 말이지요.　　　그중에 어떤 것이 제일 부러울까요? 으뜸은
'나누며 살다가 이젠 간다.'입니다. 자기만 잘 살고, 자기네들 식구들에게만 잘하고 산다면 그냥 '기본적 동물 삶'을 살다가 가는 것입니다. 이 기본도 못 하는 인간들이 많으니 그것도 대단한 것이기는 합니다. 그러나 사람으로 살다가 사람으로 삶을 마감하는 데에는 '남을 위해서 사는 삶'이어야 하지요.
　어차피 빈손으로 갈 것을 절실히 깨달은 자라면, 자기가 가지고 있는 재능이던, 재물을 필요한 이에게 능력 되는 대로 나누어 줄 터인데! 이런 여생이라면….　　　　　- 얼마나 즐겁고 좋을까요!
　두 번째로는 '맺힌 한 다 풀고 떠난다.'가 되겠지요. 사람이 1719년 영국 작가 대니얼 디포의 장편소설 〈로빈슨 크루소〉처럼 무인도에서 살지 않는 한, 사람들과의 원한은 피하지 못하고 살기 마련입니다. 어쩔 수 없이 당한 원한도 있고, 어쩌다가 남에게 준 상처도 있게 됩니다. 또는 별일도, 정말 별일도 아니어서, 한 마디 먼저 상냥하고도 아량 있는 말 건네면 풀어질 것을, 못 푸는 경우도 제법 있기 마련이지요. 이런 모든 삶의 찌꺼기를 말끔히 씻어내고 정리하여 떠날 수 있어서 삶의 마감이 산뜻하다면!　　　- 얼마나 즐겁고 좋을까요!
　마지막으로, '내 마음대로 살다가 간다.'가 될 것입니다. 평생을, 그냥 자기가 좋아하는 일을 하다가 죽는다면! 남의 눈치 안 보고 내

가 마음 내키는 대로 살다가 간다면!　　- 얼마나 즐겁고 좋을까요!

　사람이 이 세상에 처음 왔다가, 마지막으로 갈 때를 표현하는 말 중에 공수래공수거(空手來空手去)가 있지요. 불교 의식의 장신을 담고 있는 의범(儀範), 석문의범(釋門儀範)의 영가법문(永嘉法文)에 수록된 시 구절입니다. 서산대사(西山大師) 휴정(休靜)의 임종게([臨終偈)라고도 전해지고 있습니다.

　[空手來空手去是人生] 빈손으로 왔다가 빈손으로 가는 인생
　[生從何處來] 날 때에는 어디로 부터 왔으며
　[死向何處去] 죽을 때는 어느 곳으로 갈까
　[生也一片浮雲起] 사는 것은 한 조각 구름인 듯하고
　[死也一片浮雲滅] 죽는 것은 한 조각 구름이 사라지는 듯
　[浮雲自體本無實] 뜬 구름 자체는 본래 실체가 없고
　[生死去來亦如然] 죽고 사는 것도 역시 이와 같다
　[獨一物常獨露] 여기 한 물건은 항상 홀로 드러나
　[湛然不隨於生死] 담연히 생사를 따르지 않네

생사를 초월한 도인의 삶

　　　　　　　을 이야기하고 있습니다.

　보도블록 사이
　아스팔트 틈새
　시멘트 담 위
　내가 갇혀 있다
　　ㅡ「잡초 그래도 꽃 피운다」

잡초는 원래 일어선다
밟혀도 워낙 일어선다
다시 밟혀도 일어나고
잘려도 역시 일어선다
　　－「우리는 결국 승리한다」

우리는 누구 하나 화려하지 않다
백합 장미같이 얼굴 내밀지 않고
그저 저 넓은 들판 푸르게 하느라
향기 안으로 삭이며 하늘 우러러
　　－「지구는 우리 때문에 푸르다」

향기로 팔리는 꽃
사람 마음 속 살지 못한다
곧 시들 것이기에

향기 없는 잡초들
들판 푸르게 사람 푸르게
매년 뿌리 내리는
　　－「우리는 팔리지 않는다」

　당신과 나는 잡초입니다. 그래서 우리는 잡초입니다. 우리는 어디
든지 자랍니다. 밟아도 또 밟아도 자랍니다. 잘려도 또 살아남고, 또
잘려도 결국 살아남습니다. 우리를 사려고, 팔려고 해도 우리는 사
지지도 않고 팔리지도 않습니다.

잡초　　　　　　　우리는 지구를 푸르게 하는

사람을 푸르게 하는　　지구의 진정한 주인입니다

네 더러운 발 함부로 짓밟지 마라
언제부터 우리가 잡초인가
네 손에 팔리는 화초가 아니라서
너희들은 자르고 자른다

너희 언제 이 들판 푸르게 했나
우리도 꽃 피워 향기낸다
작은 꽃 하나 되지 못하는 너희
잡스러운 너희가 잡초이니
　　─「너희가 잡초이니」

올해도 담벼락 밑
잡초다
뽑아도 잘라내도
그들은
작년보다 더 많이

언젠가
담벽 무너트리리
　　─「민초의 힘」

밟혀도 일어나고
잘려도 일어나고

시멘트 사이 흙 한톨 불끈 잡고
새벽이슬 한 방울 꼭 동여매어

우리는 자란다
우리는 퍼진다
　　－「민초 만세」

남들 모두 향한 햇볕 등져도
모두가 우릴 밟고 뽑아내도

우리 동지 예서제서 자란다
광활한 산과 들판 도시에도
　　－「잡초 세상 만세」

예쁜 화분에 잡초 심었다
해 잘 들게 물도 잘 주고

일주일도 못 돼
말라비틀어지니
　　－「야생화는 야생화끼리」
　　　　(사람도)

고약한 잡인들 우릴 보고 잡초라고 한다
지네들에게 재배 안 된다고

산과 들 푸르게 하여 너희 숨 쉬게 하고
소 양 염소 돼지 먹여주는데

너희들 배반으로 하는 일
자르고 밟고 독극물 뿌려
　　－「잡인(雜人)들」

화분에 잡초 심은 시인 있다
그럼 화분이 아니고 잡분인가
그럼 잡초 같은 시인 되는가
　　　　　　　그래서 잡시나 쓰고
　　　　　　　그래서 잡념에 싸여
　　－「잡초의 시선」

세상 살리는 산소 만드는 우리
너희는 밟으며
뿌리째 뽑고
맹독 약 뿌려
말살하려 하지만

우리 없이 어찌 너희가 있으며
우리 없이 어찌 지구별 있을까
　　－「민초가 잡인에게」

쉿
잡초 꽃망울 앞에
쉿
잡초 꽃 피려 하니
쉿
천개 꽃씨 날리니
─「쉿 민초의 혁명」

잡초 꽃 피우고 있다
언 땅 모진 바람 이기고

잡초 꽃 피우고 있다
수천 개 꽃씨 만들려고

잡초 꽃 피우고 있다
이 세상 모두 덮으려고
─「민초 만만세」

잡초가 무엇일까요? 잡스러운 풀.

인간은 자기네들이 재배하지 않으면, 잡초라고 합니다. 인간재배 작물 사이에서 그 작물의 영양분을 앗아 가고 작물의 성장과 과실에 악영향을 미친다며 잡스러운 풀이라고 하지요.

또 있습니다. 자기네가 쓰지 않으면, 잡목이라 합니다. 미역 다시마 같이 자기네들이 먹지 않으면, 뭉뚱그려 그냥 해초라고 하고요.

이렇게 '잡스러운 풀'로 분류가 되면, 인간들은 잡초를 없애기 위해 별짓을 다 합니다. 밟고, 뽑아내고, 기계로 잘라 냅니다.

그래도 잡초는 절대로 죽지 않고 자라고 번식합니다.

150

그러니, 인간은 약이 오른다며 약을 칩니다. 독약. 독극물을 다량으로 뿌려 댑니다.

그래도 잡초는 일어나고 일어나서 자라고 번식합니다.

잡초는 인간이 보는 관점일 뿐이지요. 잡초가 아니고 민초, 자연초입니다. 거꾸로, 민초가 보는 인간은 그야말로 잡스러운 동물, 잡인(雜人)이지요. 인간들이 숨을 쉬게 하여 살게 하는 것은 민초입니다. 저 높은 산과 저 넓은 들판을 보시지요. 모두 민초입니다. 민초가 산소를 만들어 지구별을 하루하루 살리고 있습니다. 땅을 보십시오. 민초가 저 넓기만 한 땅덩어리를 섬유화시켜서 표토층을 보호합니다. 민초가 없으면, 지구 땅덩어리는 이미 모두 모래밭이고, 토양침식으로 농사를 아예 지을 수가 없을 것입니다. 목장에서는 민초가 소, 양, 돼지, 염소의 배설물을 분해하여 땅을 더욱 기름지게 하여 이 가축의 먹이가 잘 자라도록 순환직용을 하는 역할을 하고요.

그러니, 잡초라 말고 민초(民草)라 하시지요.

푸른 지구별의 사람들을 먹여 살리는 사람은 누구인가요? 민초 같은 **선량한 노동자와 농민.**

그들이 진땀 흘리는 고생으로 농사짓고, 노동으로 공장과 서비스를 하지 않으면, 사람은 살아갈 수가 없습니다. 민초가 바로 지구별과 지구별의 그 많은 인간을 살게 하고 있습니다.

민초가 진정한 지구별의 주인.

어떤 잡인들은 '잡초 같은 인간'이라는 말로 대다수의 선량한 민초들을 능멸하니 그들이야말로 잡인도 못 되고 잡충(雜蟲)입니다. 잡충에 대항하는 혁명을 한다며, 머리띠 매고 대형 깃발 들고 초대형 스피커로 목소리 핏줄 올려서 얻는 것은 제한적, 일시적입니다. 그래서 이 같은 방법은 언제나 일시적, 제한적 작은 효과만 얻는 '다람쥐 쳇바퀴 효과'에 머무르게 되고요.

슬기로운 혁명을 일으켜야 합니다. **슬기로운 조용안 역명**. 사람들에게 진실함을 조용히 전달하고, 소요와 외침이 아닌 **공감 어린 띠스안 과악으로 설득** 하여야 합니다. 그래야 일시적인 작은 효과가 아닌, 구조적 변화, 항구적 변화를 얻어낼 수가 있습니다. 지구촌 자연, 환경, 민초를 살리는 문화 소비 혁명.

소리가 크면 사람들이 안 듣습니다.
진정성의 고요안 오소라야 사람들 마음이 움직입니다.

체온 36.5도
심온 37.5도
　— 「인간이 되기 위한」

체온 36.5도
심온 −15도
　— 「현대인이 되기 위한」

독일 내과 의사 칼 분더리히(Carl Reinhold August Wunderlich)가 1850년대에, 사람 체온은 37도가 정상이라는 연구 결과를 발표하였습니다.

체온은 '신체의 주요 내장의 온도'이지요. 항문에서 6cm 들어간 직장 온도를 기준으로 하고 있지만, 실제로는 이곳을 측정하기에는 어려움이 있어서, 입안, 겨드랑이 속으로 측정하다가 최근에는 디지털기기로 귀속 온도를 체온으로 측정하고 있습니다.

우리 몸의 세포들은 36.5도~38.5도 사이 온도에서 **정상적인 기능**을 해서, 이 체온의 적정 수치는 건강과 직결이 되고요, 대개 24도

이하 또는 45도 이상이면 사망에 이를 수도 있다고 하지요. 3일 이상 열이 난다거나 40도 이상이 되면 바로 병원에 가서 진찰받아야 한다고 하고요.

정상체온에서 1도가 내려가면 면역력이 약 30% 떨어집니다. 반대로, 1도가 올라가면 백혈구의 활동이 월등하게 되어 면역력이 5~6배나 높게 되어 암세포도 죽일 정도가 된다고 합니다.

그럼 몸을 Control하는, **마음의 온도 심온**(心溫)은 어떨까요?
마음에도 당연히 온도가 있습니다.
나의 **마음이 정상적인 기능**을 하여 쾌적한 마음의 평화를 누리게 하는 온도.
너무 뜨겁게 열이 나서 상대방에게 부담을 주지 않고
너무 얼음처럼 차지 않아 사람들이 상처를 입지 않는 화목한 온도.

그 온도는 아마도 적정체온보다 1도 높은 37.5도가 되어야 합니다. 겨울에 온돌 구들장같이 따사로운 온도. 여름에 모시옷처럼 쾌적하게 서늘한 온도.
그런데 현대인의 실제 심온은 어떨까요?
어린이부터 어른, 노인에 이르기까지. 종교인에서부터 정치인까지 모두가
Below Zero입니다.
주위의 사람들을 살펴보시지요. 취업을 준비하는 청년 대학생들의 심온이 얼마쯤 될까요? 자가를 갖지 못한 국민 42% 세입자들의 심온은? 고3 학생들의 심온은? 나이별 직장인들의 심온은?
자기가 처한 환경과 사정에 따라서 심온의 온도는 영하 5도에서 영하 25도까지 다양하겠지요. 이 꽁꽁 얼어 성에가 잔뜩 낀 마음 온

도가, 앞으로 살아갈수록 높아질 것이라는 희망이 있을까요?

희망이 가물가물 하기 때문에
실제의 심온 온도는 더 낮아집니다.

체온은 1도가 높아지면 사람의 면역력이 5배나 좋아진다고 하지요.
심온도 1도가 높아지면 사람의 행복감이 5배나 좋아질 것입니다.

사회가 나의 심온을 올려 주기를 기다린다는 것은 어리석음 그 자체입니다. 세상은 바뀌지 않은 채 이렇게 굴러갈 것입니다. 세상이 안 바뀌니 내가 바뀌는 수 이외에는 방법이 없지요.

세상을 보는 ☞ 나의 눈
느끼는 ☞ 나의 감각

이것을 도사 수준으로 바꾸지 않으면 참으로 견디기 힘든 것
이 현실입니다.

노랑 야생 꽃 나 돌다
노랑 물든 벌 한 마리

지나가는 잔혹 피바람
떨어진 꽃에 입 맞추니

삐걱 - 오래 안 열리던
하늘 문이 열리는구나
— 「개천 (開天)」

인류를 위하여 좋은 노래를 만들어 부른 가수가 참으로 많습니다. 그중에 '위대한 가수'라는 말이 딱 어울리는 가수가 있지요. 밥 딜런(Bob Dylan)입니다. Blowin' in the Wind, Knockin' On Heaven's Door, The Times They Are a-Changin' 등의 곡이 그의 대표곡이지요. 2016년에는 노벨평화상까지 수상하였고요. 그의 곡 중에 '반전 노래'인 천국의 문을 두드리며(Knockin' On Heaven's Door)는 가사가 짧고 그에 내재된 메시지는 강렬하기만 합니다. '시의 정수'라 할 수 있겠습니다. 샘 페킨파 감독의 서부극 영화 〈Pat Garrett and Billy the Kid〉에서 악법의 꼭두각시인 보안관 펫 가렛의 비참한 심정을 표현한 노래였고요.

Mama, take this badge off of me. 엄마, 이 뱃지를 떼어주세요. I can't use it anymore. 나는 더 이상 이걸 못 쓰겠어요.

It's gettin' dark, too dark to see. 점점 너무 어두워져서 볼 수가 없네요. I feel I'm knockin' on Heaven's door. 천국 문을 두드리고 있는 것 같은 느낌예요. Mama, put my guns in the ground. 엄마, 제 총들을 땅에 내려놓아요.

I can't shoot them anymore. 난 더 이상 그 총들을 쏠 수 없어요. That long black cloud is comin' down. 저 길고 어두운 구름이 다가오고 있어요. I feel I'm knockin' on Heaven's door. 천국 문을 두드리고 있는 것 같은 느낌예요 knock knock knockin' on Heaven's door. 두드려요. 두드려요 천국의 문을

開天, 하늘이 열린다는 뜻이지요.
하늘의 문이 있다면 하늘 문이 열린다는 뜻도 되겠네요.
하늘의 문이 있어 이를 두드리면 열릴까요?

가파른 산책길에 노란 야생화가 한창입니다. 이름 없는 꽃을 찾는 벌들도 한창이고요. 노란 꽃 사이를 분주하게 날아다니는 벌들이 노랗게 물들어서 들판은 '노랑제국의 노랑 축제'로 천국이 따로 없습니다.

그런데, 이 축제에 시샘하는 '못된 바람'이 불쑥 들어옵니다. 바람이 예리한 칼을 들어 노랑꽃을 쳐내었습니다.

인간들의 단말마(斷末魔)는 '악 - 아악'이지만,

꽃의 외마디 단말마는 '툭'입니다.

죽음의 소리와 함께 땅에 떨어진 꽃.

벌 안 마리가 그 떨어진 꽃에 입을 맞추는 것을 보았습니다.

그 많고 많은 꽃을 놓아두고 떨어진 꽃에 가서 입을 맞추다니요.

노랑 야생 꽃 사이 돌던

벌 한 마리 노랑 물까지 들었네

이를 보던 못된 바람이

노랑꽃을 쥐고 흔들어 버리니

툭 - 단말마 남기면서

땅에 나 뒹굴어 버리는 그 꽃에

벌 날아가 입을 맞추니

오래 닫혀있던 하늘 문 열리네

삐거걱 - 드디어 열리네

　　- 「삐걱 - 하늘 문 열리네」

이보다 성스러운 장면이 어디 있을까요?

이 성스러운 장면에 '삐걱' 하늘의 문이 열립니다. 하늘의 문을 두

드린 것은 벌 한 마리의 진심이었습니다.

진심이라고는 찾아볼 수가 없어
오랜 시간 굳게 닫혀있었던 하늘의 문   이 열립니다.

오랜 시간 열 일이 없어 뻑뻑해진 그 문이
'끼이이익(creak)' 하면서 열립니다. 사뭇 안 열릴 것 같던.

나 오늘 흙으로 돌아가노라
평생 괴롭히던 바람
오늘만큼 한줄 없어

나 오늘 흙으로 돌아가노라
숨 이리 가늘어 주고
심장 소리 멀어 주니

나 오늘 흙으로 돌아가노라
어떤 후회가 있으랴
이리 햇빛도 좋은데

이제 나 왔던 흙이 되려고
한줌 하얀 재가 되어
이제야 자유로 날리니
　　― 「귀토歸土」

죽음에 대하여 많이 쓰는 표현 중에는 소천(召天), 귀천이 있습니다. 소천은 부를 소(召)와 하늘 천(天) - 하늘이 불러간다는 이라는 뜻으로 널리 쓰이고 있습니다. 그러나, 개신교에서 시작된 이 표현은 잘못된 단어입니다. 구성된 뜻으로 보아도 그렇고, 어순 문제도 있기 때문입니다. 귀천(歸天)은 하늘로 돌아간다는 뜻이 되겠지요. 종교를 가진 사람은 당연히, 죽음을 '하늘로 올라간다.'라고 표현을 할 것입니다. 하지만, 과학적인 Mind를 가진 사람에게는 귀천이 아니고, 땅, 흙으로 돌아간다는 귀토(歸土)라는 표현이 맞을 것입니다.

한평생 세상살이 뜨겁게
견디어서 살아남았는데

마지막 날도 기다리는 건
펄펄 끓는 불덩이라네

험한 꼴 당한 눈과 귀도
분주했던 입도 까만 재로
꼭 쥐기만 했던 두 손과
힘찼던 두발 몸 잿더미로
   ―「한 줌 자유」

재가 되어서야 자유롭게 된다면, 이 얼마나 비참 한 일입니까.

그래 이렇게 살걸 그랬어
한 줄기 햇살에 미소 지으며
그래 이렇게 눈짓 지으며
마지막 사람들에게 하듯이

158

그래 이렇게 살아 보았으면
누구에게나 고운 말씨로
그래 가진 것 반쪽 나누며
다시 못 볼 이들이기에

그래 그렇게 살아 왔었으면
이리도 눈 감기 버겁지도
숨 그만 쉬기가 힘들지도
심장이 멈추어도 아쉽지도
　　ー「귀토가 어려운 것은」

살기도 쉽지 않고
죽기도 쉽지 않네
　　ー「인간 정말 복잡하네」

나
꽃구경 잘 하고
이제 돌아가노라
나
마지막 꽃 지어
흙 되려고 하니
　　ー「삶이란 꽃구경」

봄꽃 구경하러 다니다 보면, 제일 많이 드는 느낌이
　　　　　'참, 좋다.'입니다.

우리가 살아가면서 추구하는 것은 '좋은 무엇'이겠지요. 이런 맥락에서 보면 인간의 삶이란, 결국 좋은 꽃구경하려고 부지런히 돌아다니다가, 그 좋은 꽃이 마지막 잎을 떨구어 버리면, 그 꽃잎 따라서 떠나야 하는 것 아닐까요.

마지막 꽃잎은 떨어져서 흙이 됩니다.
나도 마지막 숨을 끝으로 흙이 되고요.

나
마지막 꽃잎 지니
같이 갈까 해요

나
마지막 낙엽 보면
가기 싫어질까
　　　─「죽기 딱 좋은 오늘」

천주교에서는 그리스도의 수난을 기념하기 위하여 사순절을 보냅니다. 사순(四旬) 40일 시기는 '재의 수요일'부터 시작하지요. 머리에 일 년 지난, 종려나무를 태운 재를 십자가로 그으며 '사람아, 너는 흙에서 왔으니 흙으로 돌아갈 것을 명심하여라.'라고 하며, 성경의 창세기 3:19 '너는 흙에서 나왔으니 흙으로 돌아갈 때까지'를 인용합니다.

재는 무엇일까
뜨겁게 살다가
불에 태워져서

까만 가루 되어
　-「나무나 사람이나」

히브리어로 표기된 성서에 땅, 흙은 에르츠, 아파르, 아다마로 표현되어 있습니다. 아파르는 먼지, 티끌로 번역되고요. 에페르(재)하고도 연관이 있습니다.

사람들이 평생 뼈가 주저앉고, 머리털이 숭숭 빠지면서도 추구하는 것은 결국 '먼지, 재, 흙'입니다.

인간이 돈을 열심히 벌어서 명품을 찾는 것은 그 명품이 '사람을 명품'으로 만들어 준다는 **착시연상** 때문이고요. 권력을 찾는 것은 그 권력이 '사람을 갑으로 만들어 준다.'라는 **엄청난 착각** 때문이기도 합니다.

사람이 어디 명품이 되고　　사람에게 어디 갑이 있고 을이 있나요
사람은 그냥 모두 지푸라기 재입니다.
어차피 불덩이 맞아 재 되는 인생　　너무 뜨겁게 살지 마시지요
그저 바라는 것은 마지막 봄꽃이 떨어지는 날 재가 되었으면.
마지막 낙엽이 지는 날 재가 된다면
어쩌면 가기 싫어질까 봐 겁이 나서요.

산다는 것은 무엇일까
그가 같은 질문을 또 한다
몇 달도 안 되어
사람 산다는 것 도대체
그가 또 탄식하며 묻는다
도돌이표 질문을

산다는 것 벗고 입고
속옷 뒤집어 입었다가는
다시 도로 입는 것
  ―「이번에는 그가 깨닫기를」

쓰는 글의 주제가 '살고, 죽는 문제'가 주이다 보니, 주위 사람들과 제자들이 무거운 질문들을 하여 옵니다.
　　　　무거운 질문에 가벼운 답변으로 하여　가벼워 보이지만
　　가벼운 속에, 무겁고 중요한 것이　　　있기에

산다는 것은 '겉옷이 아니고, 속옷을 뒤집어 입었다가, 다시 또 도로 제대로 입었다 하는 것의 반복'이라고 하여주었습니다. 겉옷이야 대개 '번지르르'합니다. 첨단 유행 신상, 비싼 옷, 보기 좋은 옷이기 쉽지요.

　　　　그러니, 알 수가 없습니다.　　― 포장된 내용이라
하지만, 속옷은 아무도 보지 않는다며, 약간 낡을 수도 있고, 터진 옷일 수도 있으며, 때가 낀 옷일 수도 있겠지요.
　　　　그러니, 알 수가 있습니다.　　― 포장 없는 속 알맹이라
그 속옷을 어떤 때는 뒤집어 입습니다. 옷을 벗어 놓을 때 뒤집어 놓으면, 이 옷은 세탁할 때도 뒤집혀 있습니다. 그것을 그냥 급하게 입으면 뒤집혀 있는 것을 종일 입고 다닐 수도 있지요. 겉옷과는 달리 속옷은 하루 24시간 입고 있는 옷입니다. 입고 있는지조차 느끼지 못하는 이 속옷과 같이, **'마음'도 그러합니다.** 마음이 뒤집혀 있으면 바로 알아차리고, 다시 뒤집어 입으면 됩니다.

162

뒤집어 입었다   속과 겉
   —「그런 줄도 모르니 삶이 뒤죽박죽」

항상 깨어 있음은 항상 나를 바른길에 있게 합니다.
즉시 마음을 고치는 '깨어 있음'

땅에는 꽃 밖에 없는데
하늘 먹구름 몰려오길래
한참 고약도 하구나 하다

발 곁 보니 호로록 날아가는 것 있다
오랫동안 내 곁에 있었던 것이 분명한
   —「파랑새」

새벽과 아침 사이 — 점점 나날이 허접하게 되어가는 뒷마당에 나갔습니다. 허름하기는 해도 고맙게도 봄이라고, 여기도 꽃. 저기도 꽃. 꽃향기로 가득합니다. 하늘을 봅니다. — 벼루 갈아 놓은 듯한 색, 먹구름이 온통 하늘을 뒤덮고 있습니다.
너는 도대체 정체가 무엇이냐?
정체가 있는 듯하다가도 슬쩍 사라지는
인간 삶이 너 같다고 그러느냐
그래도 이렇게 꽃밖에 없는 계절에 너는 참 고약하구나.
꽃 필 때만이라도 너는 좀 안 나타나면 안 되겠니?
이렇게 중얼거리다가 고개를 아래로 내리고 돌아서려는데 내 오른쪽 발 가까운 옆에서 '호로로로록' 날아가는 그것이 있습니다. 파란 깃이 일품인 '파랑새'

언제부터 내 곁에 있었니?

내가 그렇게 썩은 고목 같아 보였니?

제법 오래 있었을 것입니다. 나에게 가까이 있었던 것을 보면.

미안하구나. 예쁜 너를 못된 먹구름 보느라 못 알아보았어.

안참이나 내 곁에서 머물고 갔을 '행복'도 이렇게 못 알아봅니다.

먹구름 같은 사람, 일, 장소에 눈길 주다 보면.

파랑새 행복은 가까운 내 곁에 있습니다.

이를 알아보는 것은 오로지 나의 몫입니다.

사람들은 묻는다

너희들은 왜 따스해져야

한잎 두잎 차례로 피는가라고

꽃잎들은 답한다

밤에는 서로 부둥켜 안고

오므리며 떨어야만 했었기에

　　─「밤에 떨었던 것들만

　　　　하나둘 피어나는데」

덩실　　　덩더쿵　　　동양에 사는 꽃들은 이렇게 덩실거리며

따리리 잉　링링링　　서양에 사는 꽃들은 이렇게 링링거리며

덩실 흔들, 링링 흔들거리며 세계 곳곳에서 춤을 춥니다.

이렇게 밤낮으로 흔들거려야 향기가 빚어지기 때문입니다.

이렇게 밤낮으로 흔들리다가

　　　　　　조금씩은 찢어져야 향기가 멀리 가기 때문입니다.

164

향기는 무엇입니까?

향기는 꽃의 언어입니다.

향기는 꽃의 노래입니다.

사람은 입이 있으니, 입으로 말을 하지만

꽃은 입이 없으니 향기, 자기네들 고유의 언어로 이야기합니다.

"그렇게나 모진 겨울   어름 겨울   뿌리까지 얼다가

　　이제나 살아나서   그대 부릅니다.   어서 오소서"

라고 노래합니다.   그러니 꽃잎들은 특히 야생화들은

바람 앞에 당당하고

　바람 앞에서   온몸으로 흔들흔들 부드럽게

　춤을 추며   생을   삶을 노래합니다.

사람도 마찬가지입니다. 자연에서 나와 자연으로 돌아갈 인간도 마찬가지입니다. 절대로 꽃하고 다르지 않습니다.

세상 만물은 생존 보존과 번성을 위하여, 바람 앞에 노출이 되게 되어 있는데 사람들은

바람을 피합니다.   바람을 싫어하고   두려워합니다.

바람은 등을 보이는 이에게는 매정하고 단호하게 그 사람 등에 비수를 꽂도록

DNA가 배배 꼬여서 배열되어 있고, 그런 상태로 진화됐습니다.

바람은 피한다고 피해지는 것도 아니고

이 바람을 피하면 다른 바람이 바로 대기하고 있다가 갑자기 덮치게 되어 있습니다.

연약해 보이지만 바람 앞에 당당한 저 꽃들을 보십시오.

바람 앞에 향기를 만들기 위해, 벌과 나비를 부르기 위해, 흔들거리며 춤을 추고, 향으로 노래 부르는 저 꽃들을.

곤경에 어려움에   아픔과 슬픔 앞에

춤을 춥시다
노래합시다

　삶은 그러려니　　생은 당연히 그러려니 하고　　바람 앞에 당당
히 나서면 모진 바람은 슬그머니 다른 곳으로 불어 간다는 것을, 알
만한 사람은 다 압니다.

차디찬 눈금으로
가치 있으면 올라가고
영양가 없어 내려가는 저울에
그 사람 올려놓고
일 장소 얹어 놓고는
정신 집중하여 하나씩 같은 말

쓸데없다 쓸데없다 쓸데없다 쓸데없다 쓸데없다
쓸데없다 쓸데없다 쓸데없다 쓸데없다 쓸데없다
필요없다 필요없다 필요없다 필요없다 필요없다

그래도 눈금 높게 남는 사람
일
장소에만 있으소서
있으소서
　　ㅡ「행복 저울」

저울은 무게나 질량을 재어 가치를 측정하는 기구이지요. 평형저울인 천칭(天秤; 맞저울), 대저울, 앉은뱅이저울, 용수철저울, 약저울, 전자저울 등이 있습니다. 기원전 4~5000년에 이집트에서 맞저울이 사용된 것이 최초이고요.

행복이 인간이 추구하는 최고의 가치인 것을 감안하면, 이 행복도 특수한 저울로 측정이 되어야 합니다. 그 행복의 척도 결과는 사람마다 차이가 당연히 날 수가 있으므로 이를 만인이 통용하는 숫자로 표기하기는 어렵지만 말이지요.

그 행복 저울의 숫자를 표시하는 반대편에 올려놓는 〈측정 대상〉은 구분이 가능합니다. 즉, 〈무엇을 올려놓느냐〉에 따라 개인별 측정이 됩니다.

나의 삶에 밀접한 어떤 사람, 일, 장소, 사상을 일일이 꼼꼼하고 신중하게, 하나하나 차례로 올려놓아 보시지요. 그리고는

'쓸데없다.' '필요 없다.' 하면서 정말 필요 없다고, 쓸데없다고 진심으로 생각해 보시지요. 그것도 몇십 번씩이나.

그렇게 애보면 쓸 필요가 없는

그 사람, 그 일, 그 장소, 사상의 눈금이 확연이 가벼워집니다.

그런 다음에 그 올려놓은 대상을 다시 신중하게 묵상해 봅니다.

이 사람, 이 일, 이 장소, 사상은 정말 내 삶에 방해가 되는가?

그 묵상 후에도 행복 저울의 눈금이 그대로라든지, 아니면 더 가볍게 내려간다든지 하면 이를 저울에서 내려놓고, 나와의 관계를 서서히 정리하여야 합니다. 반대로, 나의 행복에 도움이 되는 것으로 저울질 된, 사상, 장소, 일, 사람들에게, **정리되어 여유분이 생긴 '생각,**

정성, 시간, 물질 등' 을 주어야 합니다.

"어떻게 사람 사는 일을 그렇게 차가운 저울에 올려 숫자로 계산을 할 수가 있는가? 사람이 그렇게 계산적으로 살면 되겠는가? 살벌하게 말이지."라고 하실 수도 있겠네요. 견딜 수 있으시면, 그냥 계산 안 하셔도 됩니다.

나를 해치는 사람도 항상 같이 하고, 내가 하기 싫은 일 억지로 해가며, 스트레스 많이 받는 장소에 매일 가셔도 아무렇지도 않다면 그렇게 사시면 되고요.

하지만, - 이쯤 되게 거나하게 살아보니, 그것도 살벌하게 살아보니 - 그렇게나 시간, 정성, 생각을 다 하여 인간관계를 맺었던 사람과 단체가 어느 날인가, 때도 아닌 여름에 '툭' 밤톨 떨어지듯이 까칠하게 떨어지는 일이 생겼습니다. 그것도 여러 차례나. 그리고는 막심한 후회를 하게 되었지요.

왜 내가 저 사람을 사귀었었나?

왜 저 단체에 그렇게 시간, 돈, 정성을 낭비했나?

왜 저곳에 그렇게 자주 갔었는가?

왜 저 사상에 흠뻑 빠졌었나?

미리 신중하게 고려하였다면,

미리 관계를 정리하였다면,　쓰잘데 없는 소모하지 않았을 것을.

이렇게 어리석음을 한탄하게 되었던 것입니다.

더군다나, 체력을 달리게 하고, 신경을 가물가물하게 하는 사람, 일, 장소 때문에 잠도 못 이루고, 심장을 불규칙하게 뛰게 하며, 숨소리까지 거칠게 만든 후에 정리한다고 하면, 이미 늦게 되는 것입니다. 불행한 것은 물론이고, 나의 건강에 까지 치명타가 되고요, 조금 더 진행되면 그 사람, 장소, 일 때문에 나의 생명까지 내어주어야 합니다.

사람 사는 것 별 것 아닙니다.
살 수 있을 때까지 살아야 하는 것이
사람 사는 일입니다.

나의 원수들 때문에 내가 죽을 정도로 어리석으셔야 하겠습니까.

동백꽃   이화
야생화   벚꽃
오렌지꽃   유채꽃
등나무꽃   파피꽃

올해도
그렇게 길게
천천히 오고 갔는데

올해도
그런 줄 몰라
세월만 빨리 간다고
　　─「올해도 노인에게
　　　향기로운 여름은 오지 않는다」

남가주에 꽃이 오는 순서는 고국하고는 다르지요.
동백꽃이 먼저 시작합니다. LA의 북쪽에 있는 데스칸소 가든의

20에이커(약 25,000평)에 3만 5천 그루의 동백꽃 나무들이 2월 초에 일제히 꽃을 피기 시작합니다. 미국 최대의 동백꽃 단지이지요.

빨간 동백꽃, 하얀 동백꽃, 분홍 동백꽃 그리고
하양과 빨간색이 섞인 3만 5천 그루의 동백꽃들이 숲속에서 서로
겨울을 이겨낸 이야기　　를 나누고 있습니다.
이 동백꽃들은 다른 꽃들처럼 질 때 꽃잎이 하나둘 떨어지질 않습니다.　　한꺼번에 목을 내놓습니다.
혹독한 겨울을 지내며, 얼마나 아픈 사연들이 있으면 이럴까요.
얼마나 말 못할 일들이 가슴에 사무쳐 있으면 이다지도 찬란한 계절에 현란하게 피다가 한꺼번에 "툭" 목을 내놓을까요. 2월 중순쯤, 매년 동백꽃 축제에 이곳을 찾을 때마다 느끼는 감정입니다.

언 채로 나무에서 불 지르고
얼음 위 떨어져서도 또 불 놓으니
　─「그래야 네 가슴이 조금이나마 녹는다는 동백꽃」

명치가 돌멩이처럼 뭉친 사람들이
북쪽으로 북쪽으로
산으로

올라가다가
몰려 올라가다가
화산 불 만나 잿더미가 되었다지

매캐한 까만 먼지 속 다시 태어난 삼만 오천 명

170

아직도 가슴 속 불 꺼지지 않아

한 마디 한 마디 하듯 이파리 날리지 못하고는
한꺼번에 목을 내어 준다지

이처럼 환장하게 따스한 봄날에
　─「동백꽃 속은 아직도 겨울이다」
　　　（데스칸소 가든 동백꽃）

　나뭇가지에서 한번 피고, 꽃봉오리가 한꺼번에 땅에 떨어져서 또 피고 이를 보는 사람들의 가슴에서 다시 한번 핀다는 동백꽃과 거의 동시에 배꽃이 봄을 알리다가, 엄청나게 넓고도 넓은 캘리포니아 들판에 야생화들이 피기 시작하고, 벚꽃도 화사하게 핍니다.
　벚꽃은 일주일 정도 견디다가, 바람이 그리 불지 않아도 속절없이 떨어지기 마련입니다. 화사하기로는 으뜸이지만, 동남아 그리고 세계의 많은 사람을 짓밟은 사람들, 진정한 사과에 인색하기 그지없는 옹졸한 사람들의 잔인한 국화(國花)이기도 하여 그리 마음에 가지 않는 것은 어쩔 수가 없습니다.
　그 다음을 잇는 꽃은 과일나무들의 꽃들입니다.
　2월 말부터 오렌지, 레몬, 살구나무, 사과, 복숭아, 자두 등의 나무들이 수만 에이커들의 과수원에서 3주 정도 피어 있는데. 수십 마일씩 꽃들의 향연이 이어지는 것을 보면 미국이 어떤 나라인지 실감이 가기도 합니다.
　'블러섬 트레일'(Blossom Trail)이라고 불리는 이 꽃길은 생거(Sanger), 센터빌(Centerville), 밍클러(Minkler), 리들리(Reedley)를 포함하는 62마일(약 100kilometer : 서울에서 천안

간 거리)의 꽃길 코스이지요. 인근의 20여마일의 오렌지 코브(Or-agne Cove)는 오렌지 블러섬 트레일로 부르는데 화려한 하얀 꽃들이 향긋하다고 표현하여도 충분치 않을 현란한 향기를 일제히 뿜어내는데…. 이곳에서 잠시만 있어도, '이곳이 천국이구나.' 할 정도로 아찔하게 아름답기만 합니다. 이곳은 자동차를 타고만 돌아도 반나절은 충분히 될 정도로 긴 꽃길입니다.

과수원 지역은 물론이고, 남가주의 많은 집 뜰에서 향기를 모락모락 내는 나무가 있지요. 오렌지 나무.

오렌지 나무 꽃봉오리는 유난히 반짝거립니다. 아마도 달고 시원하면서도 오래 보관할 수 있는 과일을 만들어야 하기 때문일지도 모른다는 생각이 들기도 합니다. 이 반짝 봉우리에서 하얗고도 하얀 작은 꽃들이 피어나는 것을 하루하루 지켜보다 보면

나 자신도 아양게 표백 되는 것을 느끼게 되지요.

거의 동 시간대에 집 뒷마당에도 오렌지꽃이 피어주는데, 등나무 꽃, 라일락 꽃향기 못지않게 진한 향기가 있습니다. 이 꽃들은 한동안, 번갈아 가면서 작기만 한 뒷마당에 아무도 들이지 못할 정도로 꽃향기 그 자체로 가득 채워주지요.

이런, 꽃잎들이 떨어질 때는 어떻습니까?

하얀 카펫, 노란, 빨강, 핑크, 보라 카펫을 번갈아 가며 깔아 주지요. 그 카펫 위를 걷는 주인공들은 인간이면 안 될 것 같습니다. 어찌 자연을 파괴하기만 하는 인간들이, 그 장엄하게 깔아놓은 향연 위에 더러운 발들을 올려놓겠습니까.

저 진 꽃잎들의 주검들
화려했던 색들이 흙색으로 변할 때까지
지켜보고 치우는 것은

오로지 바람의 뭇

꽃잎 피우는 것도 바람이요
꽃 장례 치르는 것도 바람이니
　ー「바람의 속내」

이렇게 과실 나무들의 꽃이 지면 크게 번지기 시작하는 야생화가
있습니다. **노란 유채꽃.**
　비가 겨우내 많이 온 작년에는 속으로 얼마나 소리를 질렀는지 모
릅니다. **불이야　　　　노란 불이야**
　동산과 산들은 물론이고 길과 길 사이까지도 온통 유채꽃이, 작
은 바람에도 그 사람 크기 보다 큰 키를 같이 '어깨동무'하고 한들
거립니다. 고개를 돌려 가며 보아도, 계속 한 눈에 안 들어올 정도의
그 많은 유채꽃이 바람결에 따라 움직일 때는 **그렇지**
살아야지
열심이 살아남아야지
　　　하는 삶의 욕구가 불끈 솟아오르기도 합니다.

　유채꽃 기름은 콩기름 다음으로 많이 쓰일 정도로 인간들의 삶과
밀접합니다. 유채꽃 기름 속에는 글루코시노레이트 성분의 독성이
있기도 하고, 맛도 쓴맛이 있으면서 인체에 유해할 수 있는 에루스
산(erucic acid)이 들어가서, 초기에는 바이오 디젤, 엔진 윤활유,
연고기제·유성 주사의 용제로만 쓰였습니다. 이 독성을 제거하거나,
아예 유전자 조작으로 유해 성분을 줄여서 식용으로 쓰는데 이것이
바로 카놀라 오일이고요. 캐나다 유채학회에서 이름을 붙였는데, 캐
나다의 Can과 ola로 이름을 합성하여 만들었다고 하지요.

유채꽃이 남가주의 동산을 노랗게 불을 지르고 있는 동안,

사막에서는 수상한 불장난이 또 일어납니다.

파피꽃 파피꽃들의 주황 불놀이입니다.

파피(Poppy)꽃은 양귀비 과이기 때문에 그 자태가 우아 그 자체입니다. 1903년 4월 6일에 캘리포니아주 꽃으로 지정된 이 꽃이 캘리포니아 전체에 골고루 피고 있지만, 제일 유명한 곳은 앤틸롭 밸리, 랜 캐스터 지역, 1,745에이커에 달하는 넓은 지역의 〈파피 보호 지역〉입니다. Freeway에서 내려, 지방도로로 한 시간 정도 운전하는 동안에도 그 넓은 평온에는 하얀 야생화, 노란 들꽃들이, 들판을 어지러울 정도의 장관으로 수를 놓지요. 이렇게 좁은 도로로 운전하다가 보면 멀리 산들이 보이는데 이 산들에 엄청난 산불이 났습니다.

불은 불인데, 산불에 연기가 나지 않습니다. 짙은 노란색 불/주황색 불입니다.

불이야   **주황 불이야**

꽃불이지요. 스스로 귀를 자르고 그것을 그린 화가, 지금은 그림 하나에 1천억 원이 되지만, 불행하게도 살아서는 오직 한 점의 그림만이 아주 싼 값에 팔렸던 화가, 정신병원에 몇 차례나 갇혔던 작가, 동네 동산에서 그림을 그리다가 아는 아이들의 권총 장난에 총을 맞고 아이들을 보호하느라 자기 스스로 권총 자살을 시도했노라고 자기 동생에게 거짓말을 하고 "슬픔은 끝나지 않으리(La tristesse durera toujours)"라는 유언을 남긴 채 남동생의 품 안에서 숨을 거둔 화가.

19세기 후반의 인상파를 대표하는 화가 빈센트 반 고흐(Vincent vanGogh1853~1890)가 생각이 났습니다. '해바라기', '별이 빛나는 밤', '포럼 광장의 카페 테라스', '아를의 반 고흐의 방' 등 많은 작품에 쓴 밝은색의 노란색 크롬 옐로우가 떠올랐기 때문입니다.

오렌지꽃 유채꽃 등나무꽃 파피꽃 그리고 찬란한 여러 야생화.   봄에는 온통 불놀이입니다.   이곳에서도 저곳에서도.

마음이 뜨거워집니다.

이런 뜨거운 계절에도 마음이 싸늘한 사람이 있으니
더군다나   자신이 싸늘한 인간인지도 모르는 사람도 있으니….

바위마저 잘근 갈은
파도마저 뒤집어버린

뿌리도 못 내릴 곳에
변덕 하늘 비 몇 방울

며칠 못 간다 하여도
그래도 그대 만개하니
    ―「남가주 사막 야생화로 핀 이민자」

그 단단한 바위를 잘근잘근 부숴 모래로 만들어 버리는 무시무시한 파도. 그 파도가 넘나들다가 파도마저도, 홀랑 뒤집어져 끌리다가 말라비틀어진 곳
    그곳이 바로 사막입니다.   사막의 모래가 말해 줍니다.
    얼마나 바람이 심했나. 얼마나 파도가 심했나. 바윗돌들이 바람에, 파도에 서로 끌려다니면서 서로 부딪혀 그리 잘게 잘라졌는지.
    그것도 모자라 그 오랜 시간 바다 전체가 말라 사막이 되었는지를.

그 단단한 바위 어쩌다
잔 모래 가루 되었을까
바람 속 파도가 그랬나
파도 속 바람이 그랬나

어쩌다 바다가
사막 되었을까
　　─「그대 왜 사막 모래 되었을까」

그 살벌한 땅 사막에서, 사막 기온 차로 생기는 이른 새벽의 〈어쩌다 몇 방울의 물기〉 이슬에 의존하여 억지로 간신히 바동거리면서 피는 꽃. 광활하고 피폐한 남가주의 사막 야생 꽃은 이런, **뜨거운 모래 위에서** 핍니다.

불과 며칠밖에 못 피고, 뿌리도 그저 잠시 모래알에 내리면서도 꽃은 핍니다. 그러니 그 꽃의 모습은 집이나 온실, 하회원에서 키운 꽃들하고는, 차원과 태생부터가 다릅니다. 말이나 글로 표현이 힘들게 찬란하고 고매하기만 하지요.

모래 위에 몸을 못 가누면서도 피어 있는 야생화(지역에 따라 약 5-7종)를 한참 쳐다보고 있노라면 가슴이 벅차오르면서 눈물이, 사막의 물기처럼 가늘게 눈동자를 흘러 다닙니다.

　　　　　　　우리 한민족 이민자들.

사막에서 한 송이 야생화를 피우기 위해, 웅크리는 등 껍데기 모습으로 매일 앞만 보고 그저 일터 그리고 주말에는 교회만을 오갔던 선량한 사람들. 그리고 그들 속에 까만 가슴을 쓸고 있는 시인의 꺾인 어깨도 슬쩍 보이기 때문입니다.　　　이들에게서 꺾인 어깨, 까만 가슴, 껍데기 모습은 사라지지 않습니다. 얼마 있지 않아서, 그

176

냥 그 모습 그대로 야생화가 사라지는 모습하고 똑같이
　　　　　　　　　　–　　사막에서 증발하고 말 것입니다.

눈뜨거나 눈 감거나
우주는 온통 조화

하얀 종이 까만 글씨
찾기가 힘든 조화
　　–「무서운 글쓰기」

이 세상에 조화롭지 않은 것은 하나도 없습니다. 약 46억 년 전에 지구가 탄생된 것은 태양계가 형성된 조화로운 시기입니다. 크기와 중력을 가진 미행성, 작은 소행성 간의 간격도 조화롭기만 하고요. 마그마 바다가 식기 시작하면서 땅의 지각이 만들어졌고 대기의 수증기로 비가 만들어졌습니다. 이 비는 모이고 모여서 바다가 되었고 땅과 대기의 짠 성분으로 바다는 짜게 되었지요. 이런 것도 조화이고 이에 따라 소금을 쓸 수 있게 된 것도 조화입니다. 바다의 밑에서는 높은 에너지로 화학반응을 얻은 유기물이 생겨서 탄생하고 진화합니다. 광합성까지 할 수 있는 생명체의 탄생도 조화 속에서 이루어졌습니다. 광합성은 산소를 만들고, 바닷속 산소가 퇴적되다가 산소가 대기 중으로 방출되게 되었고 성층권에 오존층을 만들게 됩니다.
　이런 조화 속에서 단세포 동물이 태어나고 다세포 생물로 진화했고요. 다세포 동물의 종이 다양하게 번성하게 되면서, 하늘과 바다의 생명체는 여러 모습으로 진화를 계속합니다. 이런 과정은 대량멸종을 다섯 번이나 거치면서 간신히 살아남은 종들끼리 조화를 이루게 되면서, 진화대열에 다시 참여합니다. 그 결과, 포유류, 원시인이 탄생하게 되지요. 지구의 큰 땅덩어리들이 합쳤다가 흩어졌다가를 반복하는 과정을 조화롭게 이겨낸 종들만 지구에 남게 되었습니다.

태양을 중심으로 한 지구의 자전과 공전, 지구의 위성 달과의 관계는 일식과 월식을 통하여 보입니다. 조화롭기만 하지요.

여기까지는 과학자들이 보는 차가운 증명 속의 이론이고, 종교인들이 보는 창조설로 보더라도, 창조주의 전지전능 힘으로 조화롭게 이 세상은 만들어졌습니다. *

지구의 모든 동물, 식물 모두가 조화 속에서 태어났고, 조화 속에서 살아갑니다. 조화롭지 않은 것들은 이미 사라졌고, 수만 가지의 새로운 종이 태어나고는 있으나 조화의 큰 힘에서 어긋난 것들은 끊임없이 사라지고 있습니다.

　　　　　하얀색 그리고 까만색　　　　　　– 조화이고요.

　　　하얀색의 종이 위에 나열되는 까만 글씨도 – 조화입니다.

그런데 조화롭지 못한 글들이 퇴화/멸종하지도 않고, 나돌아다니고 있습니다.

　　　그 글들로 인하여 수많은 사람이 고통/고문을 당하고 있고요.

　　　그래서 두렵기만 합니다. 글을 쓴다는 것이.

--- *

과학자들이 보면, 종교의 창조론은 황당하기만 합니다. 반면에 종교인들이 보는 과학자들의 창조론과 진화론은 온갖 가설이라고 생각하고 있습니다. 누가 맞을까요? 하나는 틀리고 다른 하나는 맞을까요? 그래야 논리가 서겠지요. 그러나 이 문제는 논리의 잣대 갖고는 도저히 해결될 일이 아닙니다.

　　　　　　　　둘 다 맞습니다.

종교인들은 종교인대로 교회나 사찰, 사원 주장대로 그냥 그걸 믿고 살면 됩니다. 그렇게 믿는 것이 마음이 편하고 행복하기 때문입니다. 과학자 주장이 진리라고 생각하는 사람은 그것을 믿고 살아가면 되고요. 역시, 그걸 믿어야 마음이 편안한 사람들이기 때문이지요.

이렇게 첨예한 대립이 있는 문제들을 마주할 때의 선택 기준은 간단합니다.　**어떤 것이 나의 마음을 편하게 하고 행복하게 하는가.**

상대방이 믿고 있는 신념에 대하여 태클 걸지 마시지요.

태클이 들어가는 순간, 당신과 상대방의 평화는 깨집니다.

진리는 하나인데, 어떻게 그것을 놓아두냐고요?

서로가 무엇을 믿어가며 살던 그냥 그대로 인정하는 것이 진리 입니다.

지구 생물들의 모습은 한 마디로 다양성입니다. 생명체의 근원은 다양성에 있고요. 지구에는 보고된 것만 해도 약 150만 종의 생물이 존재합니다. 이렇게 다양한 삶들이 조화롭게 살아갑니다. 사람은 150만 중의 하나일 뿐입니다. 그중 하나가 남이라고 굵은 선을 긋고 역사적으로 엄청난 소모/희생 전쟁을 해 오고 있습니다.

자기만이 살아남아야 하고 다른 것들은 모두 죽어 소멸하여야 한다

고 하는 무지한 일들이 첨단과학이 시퍼런 이 시대에도 자욱한 먼지를 피우고 다닙니다.

바람아 바람아
모질고도 질기기만 한 바람아
빗줄기 빗줄기
모든 것 쓸어가는 너 빗줄기

너희 그래보았자
별것 아니더구나

때 되지 않은 꽃잎 하나
떨치지도 못하는 걸 보니
　ㅡ「행복하여라 때를 아는 자」

　바람이 부는 것을 보면 바람이 이 세상을 지배하는 실질적 폭군처럼 보입니다. 바람 속 모질고도 모진 굵은 빗줄기가 끊이질 않는 것을 보노라면, 하늘에 구멍이 나서 폭포처럼 되고 이 세상 생명들이 모두 쓸려나가고 말 것 같은 모습을 보노라면, 굵은 빗줄기가 이 세상 독재자처럼 보이기도 하고요.

　차갑고도 매서운 바람과 빗방울에 대비책도 없이 무방비로 몰려내쳐지는 경험을, 나이가 들어가면서 수없이 당하다가 보면 그 무서운 바람과 빗방울, 더군다나 천둥과 번개까지 동원하는 그 빗줄기 앞에서는 그저 순순히 무릎을 꿇고 말게 됩니다. 그러나 이 절대 권력, 바람과 빗줄기도 어쩌지 못하는 것이 있습니다.

막 피어난 3월의 꽃망울, 꽃잎 하나
아직 때가 되지 않은 꽃 이파리 하나.

　아직 떨어질 때가 되지 않은 꽃잎 하나하나는 자기네가 떨어지고 싶지 않으면 떨어지지 않습니다. 자세히 살펴보시지요. 못된 비바람 앞에서도 꽃 이파리는 한 장도 떨어지지 않지요. 나무가지가 부러지는 한이 있어도 꽃과 이파리는 달려 있습니다. 자기의 때가 되지 않으면, 절대로 어떠한 경우에도 떨어지지 않습니다.

　꽃잎이 지는 것은　　바람과 빗줄기 때문이 아니고
　　　　　　　　　그저 질 때가 되었기 때문에 지는 것입니다.

이렇게 세상의 모든 생물은 질 때가 있어서 지는 것입니다.
그 질 때의 원인 관계와 시간을 정확히 꿰뚫어 볼 수 있는 자

외부의 환경에 좌우되지 않고

나의 삶과 나의 운명을 내가 설계안 대로 사는 사람은

자연의 행간을 읽는 연자입니다.

행복한 사람입니다.

?   ……

??   ……

　ー「그러니 삶이 온통 ? 속」

누가 물으면 답을 해야 합니다. 자랄 때는 부모님이나 형 누나가 물으면 답을 바로바로 공손하게 하여야 했고요. 우리는 학교에서도 오랜 시간을 보내면서 이렇게 답변하며 생활했습니다.

그런데 왜 내가 나안테 무엇을 물으면, 바로바로 공손하게 대답을 안 하시나요? 내가 이렇게 살아도 되나? 내가 지금 행복한가? 나는 이 사람하고 계속 같이 가야 하나? 이런 일은 내가 할 가치가 있는 일인가? 내가 이곳에 있어야만 하는가?

남한테 이런 것들을 물어 보았자 진정이 아닌, 건성의 뻔한 답변밖에 안 나옵니다. 이런 물음들은 확실히 내가 나에게 물어보아야 하는 것이지요. 왜 나에게 물어 놓고 답변을 안 하시나요?

　ᧆ. 왜에 대한을 평안에 아니 않고

　　계속 ? 을 달고 사시는 삶의 태도

　　　　　　가 나를 항상 불안하게 만듭니다.

수시로 묻고 수시로 답을 하셔야

　　머릿속이 어수선하지 않은 명쾌한 삶　이 됩니다.

덜커덕
서킷브레이커 떨어진다
전기류 너무 높아

찌리릭
과부하 막아내지 못해
그냥 마음 새까맣게
　　ㅡ「마음속 두꺼비 집」

마음 입구에 두꺼비 집
하나 지어보자
찌리릭 과부하 걸리면
덜커덕 떨어져

영원히 새까맣게
타 버리지 않도록
　　ㅡ「두꺼비 없는 두꺼비 집 속 그대」

마음속에 두꺼비 집이 있으신지요?

요사이는 모든 집에서 서킷브레이커(Circuit Breaker)로 집안에
들어오는 과부하 전류를 자동 차단하지만, 예전에는 두꺼비같이 생
긴 두꺼비 집(커버드 나이프 스위치; covered knife switch)을 써

서, 과전류로 인한 화재를 미리 방지하였습니다. 두꺼비 집은 누전 같은 이유로 집안에 제한치가 넘는 전류가 들어오면 잘 휘는 퓨즈가 녹도록 하는 역할을 합니다. 퓨즈가 녹아 끊어지면, 과전류가 단절되는 원리이지요. 이 퓨즈를 가는 번거로움을 개선한 것이 서킷 브레이커이고요.

직장이나 학교에서 스트레스는 당연히 있습니다. 이것이 쉽게 견딜 정도의 스트레스이면 문제가 되지 않고 오히려 업무 또는 학업 향상에 도움이 되기도 합니다. 그렇지만 이것이 견디기 힘든 경우가 많습니다.   그 경우는 자기만 압니다.

'아 – 내가 견디기 힘들다' 라는 경고음이 반드시 들리게 되어 있습니다. 그러면

그 시점에서 정지하여야 합니다. 대개 사람들은 이를 무시하고 '견뎌야 해' '이 정도도 못 견뎌서야.' '적극적 사고방식' 하며 자기 자신을 채찍질하지만

찰싹
내 몸 내려치는
채찍 줄

정신 차려 이겨내야 해
여기서 멈출 순 없잖아
뒤처지면 지고 마는 거야
남에게 절대로 지면 안 돼

털썩

183

몸 주저앉히는
정신 줄
　─「채찍질 그리고 정신 줄」

이를 계속하면 반드시 회로가 탑니다.
몸속의 회로 그리고 마음속의 회로.

　회로가 일단 타면, 모든 것이 정지됩니다. 일단 정지되면 두꺼비
집같이 다시 쉽게 복구가 되지 않고요. ─ 사람은 기계가 아니기 때
문입니다. 마음 노련하게 수련을 하게 되면, 마음속 입구에 두꺼비
집을 놓아둘 수가 있습니다. 그 두꺼비 집은 나에게 들어오는 과부
하 정보를 차단하여 나의 삶과 생명을 보호해 줍니다.

왼쪽으로 돌리니 왼쪽으로
오른쪽으로 하니 오른쪽
조금 틀어 조금 움직이고
뒤로 가는 것도 이것만이
　─「그대 삶 누가 운전대 잡고 있나」

그때 왜 그쪽으로 갔을까
지금은 또 왜 이리로 가고
나를 움직이는 내 속의 너
　─「핸들 잡은 나 속의 나」

이리로 오면 안 되었는데, 왜 이리로 왔을까?
그렇게 해서 실패했는데, 왜 그렇게 또 하고 있을까?

나는 더 이상 그 일을 하면 안 되는데 또다시 그 짓을 하고 있네.
왜 내 마음대로 나는 움직이지 않지?
　　　　내 안에 나를 움직이는 다른 누가 있나?
　　　가능성은 둘 중 하나입니다.

1. 내가 좌로 가는 것은 내가 운전대를 좌로 틀었기 때문입니다.
조금 틀면 조금 가고 많이 돌리면 딱 그만큼 돌아갑니다. 운전대를
그냥 바로 잡고 있으면, 나는 그냥 그 방향으로 정직하게 가고요. *
자기가 좌로 틀어놓고는 우로 튼 줄 아는 경우입니다.

2. 나의 삶을 움직이는 자가 내가 아닙니다. 다른 사람이 핸들을
잡은 것이지요. 내가 운전대를 잡고 운전하고 있는 줄 알았는데, 사
실은 다른 사람이 운전대를 잡고 나는 그냥 그 사람 뒤에 앉아 있습
니다. **

* 지금 내가 하는 것의 모든 방향키는 내가 조정하는 것이고 내가
잘못된 방향으로 가는 것은 내가 잘못된 쪽으로 핸들을 틀고 있다는
것을 스스로 자각해야 합니다. 이 순간이, 바로 올바른 방향으로 갈
수 있는 기회가 되고요. 잘못된 향방을 조절할 수 있는 자는 아무도
아닌, 바로 자기뿐이라는 것을 느끼는 것도 또 다른 기회가 됩니다.
** 지금, 나를 조정하는 사람이 남이라면, 그 사람을 밀어내고 내
가 나의 운전석에 앉아 핸들을 쥐어야 합니다.
　그 밀어내야 할 사람/일/사상이　☞　누구/무엇인지

보이십니까?　　**구원의 길이 보이네요.**
안 보이십니까?　**구렁텅이 속에서 구원이 가물가물합니다.**

도르르르 돌돌
굴러가고 싶다
그저

터러러러 털털
따라가고 싶다
그저

핸들 돌리는 대로
앞바퀴 가는 대로
그저
　－「이젠 뒷바퀴가 되고 싶다 그저」

시골길 느티나무길
곁에는 강물 흐르고
구름 흐르는 방향으로
자전거 천천히 가네
따르릉 따르릉 자전거 뒷바퀴로 살아가리
이제는 생각 없이 살고파라
이제라도 천천히 살고파라

포장 안 된 고향 길
자전거 앞바퀴 따라
뒷바퀴 그저 따라가네
나처럼 그저 따라가네

따르릉 따르릉 자전거 뒷바퀴로 살아가리
이제는 그저 쉬고 싶어라
저녁놀이 저리도 아름다우니
　—「이젠 뒷바퀴가 되고 싶다 마냥」

자전거는 1840년경 스코틀랜드 커크패트릭 맥밀란(Kirkpatrick Macmillan)이 페달식 크랭크를 발명하고, 1861년 프랑스의 에르네스트 미쇼가 앞바퀴의 축에 크랭크를 연결하여 운전하게끔 하여 자전거를 발전시켰습니다. 한국은 서재필이 미국에서 돌아와서 1895년에 소개하였고요. 1952년 '3000리호' 자전거가 한국공장에서 만든 최초의 자전거가 되었습니다.

바퀴 둘이 달린 자전거가 나무가 많은 시골길을 유유히 달리는 모습은 그야말로

그림입니다.　　**여유의 상징**　　이라고 해도 과언이 아니지요.

자전거는 운전자가 핸들을 잡고 돌리면 앞바퀴가 돕니다. 왼쪽으로 틀면 왼쪽으로, 오른쪽이면 오른쪽으로. 약간 틀면 약간 돌고 많이 틀면 많이 돌고 -

그렇게 앞바퀴의 궤적이 정해지면 뒷바퀴는 그저 따라가지요.

참으로 오랜 시간을　가장으로, 어디의 리더로, 무슨 책임으로 살아오다　어느 순간　- 큰 한숨과 함께 이런 묵상에 빠져들게 됩니다.

이젠 앞바퀴가 아니고 뒷바퀴가 되고 싶다

그저 아무 생각 없이 그저 끌려다니다가 사라지고 싶다.

꽃은 어찌 알아보나
꽃잎 향기
이파리

사람 어찌 알아볼까
인격 초심
사랑
　— 「꽃 그리고 사람」

잠깐 피었다 지는 꽃이 아니고, 화려하고 오랜 시간을 끊임없이 피고 지는 장미를 어찌 알아보나요? 근처에 가지 않아도 무슨 꽃인 줄 알 정도의 백합화는 어찌 알까요?　가지나 이파리보다는

　　　　　꽃은 꽃잎으로　　　　향기로　　　알 수가 있습니다.
　　　　꽃보다도 아름다워야 알 사람 꽃　이
　　　예쁜 이파리 같은 인격과　향기 같은　　진실함이 없어
　　사람이 사람을　　　　　**서로 잘 못 알아보고**
　　　　　　　　여기서도 비틀 저기서도 비틀　거립니다.

　　　자기가 자기를 모르니 어찌 남을 알아볼까요?
　　　자기에 속고 남에게 또 속고.
　　　　　내가 내 발길에 걸려 스스로 넘어지고
　　　　남이 거는 태클에 번번이 고꾸라집니다.

　　사람이 사람을 제대로 알아보는 일만큼 이 세상을
　　　　　좀 더 숨쉬기 편한 세상으로 만드는 일이 있을까요?
　　가지, 이파리, 뿌리, 꽃잎, 꽃향기 그리고 꽃나무 같은 사람이 어우러져 - 사람도, 나무들도 쉽고 편하게 숨 쉬며 살아가면 얼마나 좋을까요.
　　　　　어제 아이 잃은 엄마 머리 위로
　　　　　벚꽃 앉는다

그제 실직한 가장 모자챙 위로
벚꽃 앉는다
실패 상심이 일상인 청년 위로
벚꽃 앉는다

봄마다 저 잔인한 벚꽃 잎은
 ─「잔인하게 화려한」

봄꽃 하면 떠오르는 것이 한둘이 아니지만, 유난히 벚꽃이 생각나지요. 그래서 이 꽃을 환영하는 벚꽃축제가 많습니다. 고국도 제주 왕벚꽃 축제, 진해 군항제, 대구 이월드 별빛벚꽃축제, 제천 청풍호 벚꽃축제 그리고 서울 석촌호수 벚꽃축제, 여의도 벚꽃축제가 매년 열리고 있습니다. 찬란한 축제이지요.

미국은 워싱턴 DC의 벚꽃 축제(National Cherry Blossom Festival)가 제일 유명합니다. 워싱턴 모뉴먼트(Washington Monument), 웨스트 포토맥 공원의 타이덜 베이신(Tidal Basin), 그리고 이스트 포토맥 공원의 하인스 포인트(Hains Point) 지역이 벚꽃 군락지입니다. 봄마다 이 벚꽃을 보고 있노라면, 화려합니다. 얼마만큼 화려하냐 하면 -   **잔인하게 화려합니다.**

이 세상살이가 얼마나 잔인합니까.

아이들, 여인이 한 사람만 의지하고 사는데 이 가장이 갑자기 죽습니다.   이 가족들의 머리에도.

아무리 발버둥 치며 살아도, 희망이 보이지 않는 사회의 많은 청춘.   이 젊음의 머리 위에도.

벚꽃이 내려앉습니다.   **잔인하게도.**

정말 잔옥하게도.

꽃길만 걸으시게
좋은 일만 있으시길
　—「그걸 말이라고」

꽃님들
향기 뿜다 말고
서거하시며 땅으로 곤두박질

화려함
더러운 흙색에
곧 부서진 먼지 되어 뒹구는
　—「꽃길 꽃 장례길」

'꽃길만 걸으시게.' '좋은 일만 있으시길.' 이런 말, 메시지로 종종 받습니다. 연말연시에는 더욱 그렇고요. 이 내용을 보내는 사람은 어떤 마음으로 이런 메시지를 보낼까요? 받는 사람이 이렇게 되기를 바라지만 그렇게 되지 않을 걸 알 겁니다.

그런 길은 없습니다.

꽃길. 꽃길은 꽃이 떨어진 길입니다. 꽃이 죽어 널려진 장소. 그것도 며칠 안 되어 모두 부스러져 흙으로 변하고 말 꽃잎들이지요.

참으로 잠깐이고, 드문 길이 꽃길인데 그것도 '항상 꽃길만 걸으세요.' 라니요. 단언컨대, 항상 꽃길만 걸을 수는 없습니다. 언제나 좋은 일만 있을 수도 없고요.

그러니, 악취 나는 길 위에서도 **꽃향기를 나 스스로 내야** 합니다.

괴로운 일 속에서도 좋은 일을 추출해 내야 합니다.

나의 삶은 모두 **나 아기에 달렸습니다.**

내가 생각하기 나름입니다.

그러니, 이 얼마나 경제적이고 효율적입니까? 감사하여야 하지요.

아무리 어려운 환경에서도

마음만 다스리면　　곤경에서 빠져나올 지혜　가

　　　　　　　번쩍 떠올라 나를 구렁텅이에서 건져 줍니다.

가까이 가야 꽃이 된다

가깝게 가야 향이 되고

　─「사람 마음도 그러하다」

안 보면 꽃이 아니다

멀리 있어 향이 날까

　─「사람도」

꽃이 지천에 있어도, 내가 보아주지 않으면 꽃이 아닙니다. 아무것도 아니지요. 들판에 꽃이 많이 피어 있는 것은 맞지만, 나에게는 단한 송이의 꽃도 아닙니다. 내가 보았을 때 드디어 그 꽃은 나에게 나의 꽃이 되고, 시가 되며, 기쁨이 됩니다.

그 꽃도 내가 가까이 가서 들여다보지 못하면 나는 꽃향기를 느낄수가 없습니다. 나한테 아무 감흥이 없으면, 멀리서 보는. 향 없는 화학 뭉치, 플라스틱하고 다를 바가 없게 됩니다.

　　　사람도 그렇습니다.　　　사람도 가까이 보아야 사람이 됩니다.

　　　멀리서 보기만 하면 그에게서 향기가 나지 않습니다.

순도 높은 마음으로 가까이 다가가야

　　　　　　　　그 사람에게서 향기가　납니다.

가까이 가면 뜨겁다
자세히 봐야 뜨겁다
　　―「꽃 그리고 사람」

봄에는 꽃잎이 뜨겁다
피어오르는 향기마저
　　―「보는 사람도」

꽃잎에 온도가 있습니다.　-　　뜨겁지요. 뜨겁지 않다면 피지 않았을 것입니다. 뜨거운 꽃을 가까이 보고 향기를 맡는 사람도 뜨겁습니다. 꽃을 멀리하는 사람에게 꽃잎은 차기만 하지요.
　　뜨거운 꽃을 멀리하는 사람은 주위를 모두 얼려 버립니다.

그에게 고운 눈길 주었더니
꽃이 되었다
그에게 손을 내밀어 주었더니
향이 되었고
　　―「꽃은 그대가 빚는 것」

사람을 꽃으로 바꾸어 버리는 이가 있었다
향기가 그윽한 꽃으로
　　―「친절한 한 마디로」

누렇게 퇴색된 노인 정수리에
초록 이파리 솟았다
활같이 휘어진 노인 등 위로

빨간 장미도 피었다

잔뜩 흑 구름 비집고 들어온
고운 눈길 말 하나로
―「사람 하나 살리다」

한 사람에게 손을 내밀어 상심한 손을 어루만져 주고, 다정하고 친절한 말 한마디. 눈길. 그 사람의 이름을 불러 자존감을 올려 주는 것.

이런 것 하나만으로도 한 사람을 살릴 수 있습니다. 희망 없이 죽어가는 사람을 살리는 것은 몇천 년 전의 기적보다 놀랍도록 간단하기만 합니다.

사람을 꽃으로 만드는 것은 간단합니다.
양 나게 아는 것도 단순하고요.

사람에게 자선을 베풀어야 천국에 들 수가 있으니, 그 자선을 위해서 거대한 Plan을 세우고, 조직을 만들며, 지휘 감독과 함께 막대한 재정을 꾸려야 된다고 생각을 합니다. 그런 자선도 분명, 수혜자 측에서 보면 충분한 가치가 있고 보람된 일입니다. 그럼 그런 일을 할 형편이나 능력이 안 되는 사람은 자선을 행할 수가 없습니까?

천국의 한구석 언저리를 차지할 자격이 정말 안 됩니까?

사람을 따스안 눈길 하나로

다정안 말투 하나로

신비안 미소 하나로   살릴 수가 있습니다.

사람을 이렇게 살리는 것도   당연이 자선이 되고요.

꽃시를 쓰면
길이 열린다

땅과 하늘 뒤바뀐 회색 마음 늪에
　－「꽃길」

시에도 여러 길이 있습니다. 주제가 다양하지요.
그런데 꽃에 대한 시를 쓰고 있노라면 길이 열리는 것이 보입니다.

답답안지도 못 느꼈던 갑갑안 마음
얼마나 오래 고통스러웠던지 고통에 무감각안 마음
그 마음에 길이 서서이 생깁니다.   꽃길

그대 꽃 같은가 물어보시라
그대 나무 같은지 물어보고
　－「두 가지만 묻다 보면 향기가」

꽃이 되고 싶으면
겨울 언 땅 갈거라
씨앗 심고 기다리고

사랑 되고 싶으면

언 마음을 갈거라
진실 심고 기다리고

— 「꽃 되고 싶으면」

꽃이 없으니　　　　　향기가 없습니다.
　꽃 같은 사람이 별로 없으니 주위가 향기롭지 못하고요.
겨울 언 땅을 가는　　　이들이 없습니다.
　차갑게 언 지 오래되어 구제하여야 할 곳이 늘어만 가는
데 말이지요. 진실한 마음, 따스한 마음을 심고 기다리는
　　　　　　　　　사람이 없습니다.

　수도원이 늙어갑니다. 한국의 수도원에는 매년 지원자가 급감하고
있습니다. 특히 여자 수녀원의 경우가 심합니다. 분파는 120개 수
도회가 넘는데, 최근 몇 년간 한 명도 지원자가 없는 수녀원이 60%
가 넘고요. 한두 명 지원자가 있는 수녀원도 수두룩한 실정입니다.
　'세상에 재미나는 일들이 많은데 왜 거기 들어가 우울하게 지내
냐?'라는 것과 '갇힌 틀, 답답한 곳에서 자유가 없다'라는 것이 주
된 이유라고 하지요. 이러한 현실에 대하여 수녀원 측에서는 난감
해만 합니다. 수도원 공통의 규율인 가난, 정결, 순명의 삶에 '젊은
지원자들이 왜 공감을 못 할까?' 한탄하지만 그 해결책에 대하여는
속수무책입니다. 무엇이 정말 본질적인 문제인가에 대한 성찰이 부
족합니다.
　문제의 근본적인 원인은 교회입니다. 교회가 부패하여 썩은 냄새
가 진동을 한 지 오래되었으니 젊은이들이 교회에 대한 Attention

자체가 되지 않습니다. AIDA 이론은 여기도 접목이 됩니다.

주의(attention)—흥미(interest)—욕망(desire)—행동(action)

어떤 행동이 되기 위해서는 이와 같은 과정이 반드시 있어야 하는데 교회에 주의가 가지 않는데 어찌 수도회에 관심이 가겠습니까? 관심이 가지 않으면 흥미가 없고 바라는 바도 없고 수도회 가입도 되질 않지요. 수도회의 위기는 교회의 추기경, 대주교, 주교, 장상, 사제, 책임입니다. 교회가 예수의 진정한 가르침대로 불쌍한 사람 구제에 전념했다면 젊은이들은 당연히, 교회에 Attention했을 것입니다. Interest했고요, '어 모지? 야 머시따! 이 그지가튼 세상에'

'젊은이들에게 지금 교회의 모습은 어떻게 보일까'를 진지하게 세미나도 열고 여론 조사도 하면서 진지하게 고민해 본 적이 있나요? 교회가 미사만 드리고 모임이나 하도록 하면 할 일 다 했다는 듯이 하고 있으니, 무슨 Attention, 이 될까요? 미사 강론이라고는 초등학교 수준으로, 미사 퇴장 성가와 함께 머릿속에서 휙 – 바람과 함께 사라져 버리니, 당연히 성당에 Interest가 없게 되는 것이지요.

예수님이 우리에게 미사 드리게 하려고 이 세상에 강림했나요?

'너희는 나를 기념하라' 더 훨씬 중요한 것은 '최후의 심판'입니다.
최후의 심판(마태 25, 31-46)

31절 "사람의 아들이 영광에 싸여 모든 천사와 함께 오면, 자기의 영광스러운 옥좌에 앉을 것이다. 32절 그리고 모든 민족이 사람의 아들 앞으로 모일 터인데, 그는 목자가 양과 염소를 가르듯이 그들을 가를 것이다. 33절 그렇게 하여 양들은 자기 오른쪽에, 염소들은 왼쪽에 세울 것이다. 35절 너희는 내가 굶주렸을 때 먹을 것을 주었고, 내가 목말랐을 때 마실 것을 주었으며, 내가 나그네였을 때에 따뜻이 맞아들였다. 36절 또 내가 헐벗었을 때 입을 것을 주었고, 내가 병들었을 때 돌보아 주었으며, 내가 감옥에 있을 때 찾아 주었다.' 39절 언제 주님께서 병드시거나 감옥에 계신 것을 보고 찾아가 뵈었습니까?' 40절 '내가 진실로 너희에게 말한다. 너희가 내 형제들인 이 가장 작은 이들 가운데 한 사람에게 해 준 것이 바로 나에게 해 준 것이다.' 42절 너희는 내가 굶주렸을 때 먹을 것을 주지 않았고, 내가 목말랐을 때 마실 것을 주지 않았으며, 43절 내가 나그네였을 때에 따뜻이 맞아들이지 않았다. 또 내가 헐벗었을 때 입을 것을 주지 않았고, 내가 병들었을 때와 감옥에 있을 때 돌보아 주지 않았다.' 44절 너희가 이 가장 작은 이들 가운데 한 사람에게 해 주지 않은 것이 바로 나에게 해 주지 않은 것이다.' 46절 이렇게 하여 그들은 영원한 벌을 받는 곳으로 가고 의인들은 영원한 생명을 누리는 곳으로 갈 것이다."

너희들은 나에게 이것을 해주지 않았으므로 지옥으로 가라

이것보다 더 심각하고 엄중한 예수님의 메시지가 있습니까? 예수님 가르침의 핵심인 이것을, 교회는 왜 그리 강조하지 않으며 기피해 왔을까요?　　　　　**Business 때문입니다**.

교회 운영상 교회는 그저 교회 권위나 세워주는 미사 예절에 치중해 왔습니다. 만일 교회가 신자들에게 최후 심판 내용대로 '고난에 동참'이 으뜸이라고 강조한다면 신자들의 돈이 모두 '가난한 이들' '고통받는 이웃'에게 가기 때문에 교회 재정에 문제가 생긴다는 Business Mind에서 그렇게 하여 왔을 것입니다. 그래서 자선이라고 해 보았자, 그저 생색내기 그치기이고요.

교회의 가르침은 성서에 모든 근거를 두어야 합니다. 성서에서 강조하는 것은 반드시 신자들에게 강조되어야 하고요. 왜 신자들에게 "교우 여러분, 신앙의 초점은 영원한 생명, 천국에 드는 것입니다. 이 천국에 가는 것은 주님의 최후 심판에 따라 결정됩니다.

여러분의 최후 심판 에는 여러분이 미사에 빠지지 않고 참여하였나. 아침 미사 매일 참례하였나. 판공성사 거르지 않았나. 피정에 열심히 참여하였나. 꾸르실료, ME, 성령 기도회, Choice, 각종 연령회, 반 모임 열심히 했나. 교무금은 꼬박꼬박 매달 내었나. 사제들, 수도자들 말에 무조건 순종을 잘하였나. 죽을 때 재산을 교회에 전부 또는 상당한 부분 바쳤나.   **이런 것들을 묻지 않습니다.”**
라고 왜 솔직히 강조 못하나요?

거양성체 때 사제가 축성만 하면 사제의 명령에 따라 예수님이 복종하여 교회에 불려와 계십니까? 예수님은 길고 긴 시간, 가망 1도 없는 교회에 좌절하여서 교회를 떠난 지 오래되었다고 생각해 본 적은 없나요? **예수 없는 교회** 에 미사가 무슨 소용입니까? 예수 없는 교회에 젊은이들이 모일까요? 교회가 지금처럼 진심으로 참회하지도 않고 예수의 뜻을 따르지 않는 한, 수도회는 점점 더 거대한 양로원이 될 것입니다.

교회의 분위기가 ‘오로지 약자에 전념하는 교회’ 가 되어야 합니다. 이렇게 되면 **죽은 교회는 부활할 것이고 바로 그곳으로 예수님이 강림** 하실 것입니다. 이래야 모든 문제가 해결됩니다. 교회 재정? 그것은 저절로 해결됩니다. Business Mind 측면에서 문제가 생겼으니, 차가운 Business Mind로 Dry하게 설명하겠습니다. Pie를 키우면 됩니다. 유럽과 전 세계에 나타나고 있는 신자 수 감소 현상은 Pie가 작아지는 현상입니다. 먹을 것이 적어진다는 것이지요. 그런데 ‘오로지 약자에 전념하는 교회’가 되면, **감동을 주는 교회** 가 되어서 사람들이 교회로 몰려들게 됩니다. 즉 나누고 나누어 주어도 Pie가 신자 수 증가로 인해, 점점 커지니 작은 Portion만 먹어도, 지금의 Pie 축소 현상에서 벗어날 수가 있게 됩니다. 다시 말해 적어지는 Pie 보다는, 커진 Pie의 작은 잘라진 부분이 용적 면에서 훨씬 크게 되니 먹을 것이 더 많아지게 되는 것이지요.

이렇게 되면, 한국 천주교는 종파를 초월한 모든 교회에 모범이 될 것이고 교회 운영의 성공사례가 될 것입니다. 당연히 **모든 어려움에 부닥친 사람들이 구제되는 기적** 이 일어나게 되는 것이고요. **이것이 바로 K – religion**

(K pop, K food, K literature, K politics, K religion, K Meditation 이런 것이 확고이 정립되어 나갈 때, 세계문화 선도국가가 됩니다. 경제는 그에 대한 대가로 저절로 따라오게 되는 것이고요.) 젊은이들도 어느 정도는 세상살이가

세상에 재미나는 일 별로 없다는 것.

세상의 자유 그거 정말 별거 아니라는 것.

세상의 자유는 거품이고 부자유 그 자체라는 것.

을 알고 있습니다. 교회가 감동을 보여 주면, 좋은 젊은이들은 수도회로 모여들 것입니다. 젊은 수도자들은 미래의 희망이고 사랑의 씨앗이지요. 사랑의 손길을 불우한 이웃의 언 마음에 준다는 것은 '겨울에 땅 갈고, 봄, 씨앗 뿌리는 것'입니다.

사람이 꽃이 되는 일이고요. — 향기로운 일입니다.

그런데 지금의 냉혹한 현실은 어떻습니까? 이 세상은 이미 메마를 대로 마르고 세상의 꽃 같던 수도자들마저 늙어 시들어 가다가 점점 흙으로 사라져 가니 **사람들이 시들어 갑니다.**

꽃밭에 꽃들이 시들어 갑니다.

예수의 아름다운 가르침도 시들어 갑니다.

번쩍거려야 하는 눈동자
꺼풀이 내려앉아 감겨버린다
마구 휘둘려진 두 발손
분해 수준으로 풀려 버리고
— 「주말만이라도」

봄은 나른합니다.

화폐로 계산되는 비생산적인 행동과 생각은 모두 죄악으로 치부되는 비릿한 현대 생활. 그리고, 계산적으로 더 효율적인 것만을 쫓

아가야만 하는 요즘 삶이 **얼마나 피곤안지요. 숨 가쁜지요.**

벅찬지요. 지긋지긋안지요.

주중 내내 숨소리 거칠게 일하고, 공부한 그대여. 주말이라도
그대가 마땅히 누려야 할 것을 찾아서 어디에 얽매이지 않고,
자기만의 시간을 가지시지요.

공간
홀로 그대만의 공간용적
시간
혼자 그대만의 시간중량
　─「삶의 질량 산출 공식」

어디에 소속되지 않고, 누구에 끌려다니지 않고
　눈동자 지그시 감고 두 손, 두 발 모두 축 늘어지고 자유스럽게 하
여 나만을 위한 시간과 공간을 갖는 것.

그 양이 바로 삶의 질에 비례합니다.

위 이 이 이잉
투 두둑
위 잉 잉 윙윙
우 둑둑

집에 그림자 덮던 올리브나무
잘려 나간다
뼈 앙상히 보이게 처참하게
모두 잘린다
　─「도시에선 나무마저 자유롭지 않다」

좁고 허름한 앞뜰, 육십 년 넘은 늙은 올리브 나무

3년에 한 번은 집 지붕을 덮을 정도로 자랍니다. 옆 마당에 나란히 줄을 서서 2층 지붕까지 덮고 있는 이름 모르는 나무도 집안을 어둑하게 만들 만큼 잎이 무성하지요. 견디고 견디다가 히스패닉 가드너 아저씨에게, 그 마음씨 좋은 아저씨에게 부탁하여 나무를 잘라 달라고 합니다.

이 가드너 아저씨는 또, 큰 나무만을 전문으로 자르는 자기 친구들에게 밑도급을 주지요. 이 친구들은 장비가 다릅니다. 가지고 오는 차량도 다르고요. 나무를 잘라내는 친구, 밑에서 잘린 나무를 치우는 친구, 이 나무를 기계 처리하는 친구들이 역할 분담을 하지요.

위 잉 잉 - 톱날이 돌아가는 기계 소리가 요란합니다. - 톱날이 닿을 때마다 일 년 내내 그렇게 세 번, 삼 년 동안 자라던 그 무성한 나뭇가지들은 잘려 나가며 외마디를 질러 보지만, 기계음 소리에 그 비명은 묻혀 버리고 맙니다.

앞마당에 잘려 나간 나무들이 쌓여서 수북합니다.
　　　　　　　　작은 산봉우리 모양으로 지붕 높이만큼.
　　이렇게나 많이 달고 있었나.　　◈◈ ◈◈ **압니다.**
나무 형태만 간신히 유지하고 있는 나무를 쳐다보면서
똑바로 쳐다볼 수가 없습니다. 너무 미안해서요.

잘라 보라
잘라 보지 않으면 모른다
얼마나 주렁주렁인지

잘라 보라

하나 하나 과감 단호하게
잘라진 것 보지 않는 한
   -「그대 무거운 이유」

나무들은 - 그 존경스러운 나무들은 - 그 인내심 지극한 도시의
나무들은   - 자유롭지 않습니다. 도시에 살기 때문입니다.
도시라는 이름에 발붙이고 사는 모두
 - 사람도 동물도 그리고 나무까지도 자유하고 멀기만 합니다.
 자유로워지려면 아무래도 도시를 떠나야 할까 봅니다.

오래 갇혔다가 나 스스로 깨고 나왔다
꽁꽁 가둔 것을 씹어 먹고 기운 차려

높은 곳을 탈출하여
바람 스스로 만들어
길이 아닌 길 만들고
이리 저리 자유롭게

오직 꽃향기만 따라 다녀
오악 거미줄 피해 다니니
  -「드디어 나비 되다」

봄꽃을 이리저리 옮겨 다니다가 그냥 아무 일 없이
하늘에 길을 내어 다니느라 그런지 하늘하늘 하며 날아다니는
봄 나비를 보노라면 '나비처럼 살고 싶다.'라는 생각이 듭니다.
        내가 나비가 되었으면

나비는 나비가 되기 위해서 알, 애벌레, 번데기, 성충의 4단계 시기를 거치면서 격렬한 탈바꿈을 합니다.

완전 탈바꿈.

나비가 알을 낳고 일주일 정도 지나면 애벌레가 껍질을 스스로 물어뜯고 나와서 알껍데기를 완전히 갉아서 먹게 되지요. 그리고는 이파리를 먹어가면서 허물을 벗습니다.

자기의 허물을

다섯 번이나 자기의 허물을 벗고는 자기 입에서 실을 뽑아내면서 번데기 되는 작업을 합니다.

다섯 번이나 자기의 허물을

밖에서 보면 번데기는 죽은 모습입니다. 하지만 속에서는 날개를 만들고 있지요. **날아갈 날개를 스스로 만들고**

나비가 되어서는 그저 꽃의 꿀 그리고 수액 같은 것을 먹고 살아갑니다. 남의 생명을 위협한다거나 해칠 일이 전혀 없는 것이지요. 오악(五惡)으로 남 해치는 일이 촘촘하게 일상인, 인간들 같은 거미줄 피해가면서. **남을 애칠 일이 전여 없이**

정말 나비처럼 살고 싶습니다.

꽃보다 아름다운 게 있나
언 땅 비집고
모진 바람 마주한

꽃보다 향기로운 게 있나
천둥소리 속
번갯불 가슴 품은
　－「그대는 꽃」

"거울아. 거울아 이 세상에서 무엇이 제일 예쁘니?"

거울 종류에 따라 답이 다 다릅니다.

거울에 비치는 세상은 거울 주인에 따라 다르게 보이니까요.

돈이 주인인 거울은 "돈이 제일 예쁘지요." 할 것이고,

권력이 주인인 거울은 "주인님, 권력이 제일 예쁘지요." 하겠지요.

그런데 사실은 **거울 종류에 상관없이**

꽃이 제일 예쁩니다.

누가 뭐라고 해도 꽃이 이 세상에서 제일 예쁩니다.

꽃이 최고로 향기롭습니다. 이리저리 말해도 꽃향기만 한 것이 없지요.

하늘 쪼개지는 불똥이, 우뢰가 꽃잎에 스몄고

살아 있는 것 모두가 벌벌 떠는, 언 땅 갈라버리고

바람 앞 다 등을 보일 때, 가슴으로 당당히 막아내어

진하게 빚어진 자태와 향기인데요.

꽃만 한 게 있나요. **꽃 같은 그대만 한 게 어디 있나요.**

거울아 거울아

이 세상에서 제일 향기로운 것이 무엇이니

거울아 거울아

그리고 이 세상 최고로 예쁜 것은 무엇이니

거울아 거울아

어떻게 꽃은 제일 아름답고

　ー「이미 깨진 거울에 물어보기」

백설 공주에 나오는 장면입니다.

마귀할멈이 거울에 이 세상에서 제일 아름다운 사람이 누구냐고

끊임없이 묻습니다. 거울은 거짓말을 하지 않지요. 거울은 있는 그대로를 비추는 물질이기에 정직의 상징이기도 합니다.

거울을 들여다보며 이 세상에서 제일 향기롭고 예쁜 것이 무엇이냐고 물어봅니다. 향기로운 것들이 어디 한둘이겠습니까? 이 세상에 아름다운 것들이 참으로 많습니다. 그 중에 꽃의 향기가 으뜸이지요. 사람보고 꽃보다 아름답다는 말도 있으나 이는 그냥 듣기 좋아하라고 하는 말입니다.

사람은 추운 것을   힘든 것을   바람을 피하려 들지만
꽃들은 그렇게 많은 날을   컴컴한 밤 속에서
춥고도 매서운 바람에 흔들리고 흔들리며 힘들게 피었습니다.
심지어는 꽃들은 허리가 잘려 답답하게 좁은 목을 하고 있는 꽃병에 꽂혀서도 찬 얼음을 뒤집어쓰면, 얼어버리고 험한 환경에 익숙하여서 오히려 싱싱하게 향기를 만들면서 더 오래 갑니다.

이렇게 해서 향기 나는 꽃들하고
어찌 화학 화장품 냄새 나는 성형미인들하고 비교가 될까요?
꽃처럼 예쁘고 향기 나는 사람이기를 바라시나요?

외면으로 세상 기준으로 예쁘기를, 명예/권력/재력 냄새나기를 포기하시지요.   그렇게 되면, 내면에서 향기가 나면서 그대 기대 이상으로 예쁜 사람이 됩니다.

꽃처럼
고통을 끌어안고 흔들리면서 참아내 보십시오. 머리 정수리에서 향기가 나면서 머리 위로 꽃잎이 돋아나게 된답니다.

조금 있으면 나비도 찾아 들겠네요.

동쪽 하늘 구석 부스러진다
눈꺼풀 찰나 감아보니
이제 파랑새도 날지 못하고
꿈에서도 꽃 떨어지고
　　　─「찰나에 일어나는 일」

동녘 빨갛게 오르던 불덩이
그냥 침몰한다
밤 되니 있던 별 달 모두가
하나둘 낙하해
　　　─「순간에 벌어지는 일」

　순식간(瞬息間)의 '순'은 눈을 깜박이는 것, '식'은 숨을 한번 들이쉬는 그것을 말합니다. 찰나(刹那)는 불교 용어로서 75분의 1초(약 0.013초)에 해당한다고 하지요. 긴 시간 겁(劫)의 반대 용어로 사용됩니다. 삽시간(霎時間)의 '삽'은 이슬을 뜻합니다. 이슬이 땅에 떨어지는 시간을 뜻하고요. 별안간(瞥眼間) 의 '별'은 잠시 지나가는 것, '안'은 눈을 뜻하지요. 눈길 한번 지나가는 시간을 말합니다.

　이 모두가 아주 짧은 시간을 표현할 때 자주 쓰이는 말입니다. 인생의 세월이 눈을 한 번 깜짝하는 시간에 지나가는 것 같다 할 때, 갑자기 사고가 났을 때, 잠시 방심하다가 큰 변을 당했을 때도 이런 표현을 씁니다.

　해가 뜨는 동쪽에서 해가 뜨다 말고, 해가 지는 방향이 아닌 해 뜬 그곳으로 그냥　　　　　　　　　　'부르르' 침몰합니다.

　캄캄한 밤이 되니, 어제까지 하늘에 달려 있던 달과 별들이 한둘씩 그러다가 수십 개 수백 개가　　　'푸시시식' 떨어지고 맙니다.

놀란 가슴에 잠 못 이루고 고민 고민하다가 잠시 잠이 들었나, 안 들었나 하는데 아마도 꿈속인가 봅니다. 꿈속에서 들에 핀 꽃이 통째로   '후두두둑' 뽑혀 나가고 맙니다.
한 조각 희망인 파랑새의 날개가 무참하게   '또각' 꺾여 나갑니다.
주위를 살펴보면 이런 사건은 - 엄청난 손해는
순간의 실수로 - 찰나의 판단 실수로
삽시간에, 별안간에 일어나고 있습니다.
조심조심 숨소리 하여, 잘 보고 다녀야 합니다.
숨소리 가다듬고 다니면 이 찰나에도 보일 것은 다 보인답니다.
보이면 피알 수 있습니다. ■ 못 보니깐 계속 당하는 것이지요.

한 겹 눈꺼풀 올리기 버거운데
고개 꺾어지어 졸아가며 보니

몸 작고 날개만 큰 하얀 나비
몸 크고 향기 적은 꽃에 앉았다

나비야 나비야 너는

돈 걱정
집 걱정
자식 걱정
건강 걱정 안 해서

나비이니
　ㅡ「꿈속 신선」

봄에는 졸립니다. 춘곤증이라고 하지요. 겨우내 움츠리다가 기온이 따스해지기 시작하면서 인체의 신진대사 기능이 향상함에 따른 피로감입니다. 해가 길어지면서 잠이 줄어들게 되고, 봄이 되면 학교, 직장이 새로 시작하는 분위기에 맞추다 보니 적응 조절이 잘 안 되어 스트레스가 증가하게 되는데 이에 대처하는 Stress Management가 잘 안 되기 때문이기도 합니다. 졸리니 꾸벅꾸벅 졸다가 화들짝 놀라서 정신을 추스르는 사람들이 많은 봄입니다.

깜빡 조는 것도 잠이니, 그 순간에도 꿈을 꾸게 됩니다.

하얀 나비가 꽃에 앉았습니다. 그냥 보기에도 아름다운 나비인데, 꿈속에서 보니 완전 Fantasy입니다. 그 아름다움에 취해서 나비가 부럽기까지 합니다.

아름다운 것은 물론이고, 돈 걱정, 집 걱정, 먹을 걱정, 자식 걱정, 죽을 걱정, 건강 걱정 않는 나비가 너무도 부럽습니다.

봄이 되어 사방을 둘러보니

그저 돈, 집, 음식, 자식, 건강, 죽음 걱정하는 사람뿐이기 때문입니다. **그 많은 사람들 제일 앞에 자기 자신이 서 있기 마련이고요.**

- 라벤다(Lavender) -

라벤다 꽃잎이 이슬 속 묵상하더니
새벽 일 가는 젊은 길
밤중 돌아오는 늙은 길
머리 깊은 곳에 향기를 적셔주고 있었다

도둑고양이 꽃밭에 똥을 뿌리더니만
새벽 일 가는 청년 길

밤중 돌아오는 노인 길
심장 깊은 곳 꽃내음을 몰아내고 말았다

라벤다는 마르면 더 향기가 난다
고양이똥은 말라도 냄새 고약하다

사람들은 모른다 자기가 말려지면
　ㅡ「그대 영혼 말려지면」

　라벤더는 향기가 좋지요. 크기는, 작은 것이 15cm 정도, 큰 것은 1m 정도까지 다양합니다. 꽃의 색깔은 분홍, 노랑, 흰색도 있지만 주로 보랏빛을 띠고 있지요. 꽃 전체에서 향이 짙게 나기 때문에 방향제로 쓰이지만, 공기 정화제로 쓰인 기록도 있습니다.

　라벤더의 좋은 향기와는 정말 반대로, 고약한 냄새가 있습니다.

　사람하고 가까운 애완 반려동물의 으뜸은 개와 고양이인데 이 동물들의 똥 냄새가 그렇습니다. 이 중, 개보다 고양이의 똥 냄새가 지독하지요. 고양이는 육식동물이기 때문에 사료가 단백질 함량이 높게 되어 있습니다. 그래서 이것이 장내 세균하고 결합하면서 고약한 냄새를 냅니다.

　새벽 아침 희망을 가슴에 뜨겁게 안고 길을 나서는 젊은이의 길은 꽃밭입니다. 저녁 황혼 즈음에 여유롭게 뒷짐 지고 집으로 돌아오는 노인의 길도 꽃길이고요. 그런데 그 꽃 향이 나는 길이 누군가의 말 한마디로, 사건 하나로 똥 냄새가 날 수가 있습니다. 실제로 이런 고약한 일들은 일주일에 몇 번이라도 일어나는 것이 우리들의 일상이지요. 그러나 아무리 고양이 똥 냄새가 나는 말과 사건을 뒤집어쓰더라도 내 마음이 똥 냄새에 젖지 않으면, 꽃향기를 그대로 유지할 수가 있습니다. 사람들은 자기 몸에서 나는 역겨운 냄새를 감추려 향수를 뿌립니다. 자기를 꽃으로 보이기 위해서

꽃향기 나는 향수를 뿌립니다.

그런데   **왜 영혼에서 똥 냄새가 나는 줄은 모를까요.**

깨어 버리자
내 돌 머리 같은 돌덩이에 던져
던져 버리자
출렁대는 내 마음 강 저 너머로
　ー「내 가식 담은 향수병」

그대 똥내에 향수 뿌려
꽃내음이 난다면 얼마나 좋겠노
그대 역겨움 향수 뿌려
고매함 향기나면 얼마나 좋겠노
ー「그런 일 일어나면 그만 살아야지」

칙칙 소리난다
칙칙한 내 마음 감추게
휘휘 향기난다
퀴퀴한 속 마음 감추게　
　ー「향수병 빠진 그대」

향수는 라틴어 perfumare(연기를 내어 통과)에서 유래합니다. 메소포타미아 문명과 고대 이집트 문명 시기에 신에게 제사 지낼 때, 몸 정결용으로 쓰이기 시작했습니다. 고대의 향료는 종교의식에 쓰

였으니, 훈향(薰香)이었고요. 방향은 인도가 최초인 것으로 되어 있습니다. 3300BC - 1700BC의 인더스 문명 시기에 향료와 향료 제조소가 있어서, 식물에서 추출한 에센셜 오일인 '이타(Ittar)'를 증류했다는 기록이 있습니다.

1508년 이탈리아의 피렌체에 있는 도미니크회 수도사가 '유리 향수'를 제조하면서부터 그 전성기를 맞게 되었지요. 천연 향료로만 향수를 만들다가 19세기 중엽에 화학합성 향료가 개발되면서, 향수 대량생산이 가능하게 되어 향수의 대중화가 되게 됩니다. 이렇게 대중화된 향수는 결국은 그 사람에게 진정으로 나는 냄새를 모르게 하였습니다. 당연히, 영혼에서 나는 냄새도 알아차릴 수가 없고요.

동물들은 상대방을 판단할 때, 냄새 맡고 눈으로 보고 귀로 들어가며 만져도 봅니다. 그러나 사람들은 상대방에서 나는 냄새도 화학물질 가짜이고 들리는 소리도 진정성이 없으니 당연히 만져서도 알 수가 없습니다.

그저 눈으로 보아 판단하여야 하는데 이것마저 부정확하니, 상대가 어떤 사람인지 어떤 마음을 가졌는지를 알 수가 없습니다. 그러니 그 인간으로부터 실수와 손해를 입게 되지요. 사기도 당합니다.

그 어마무시한 피해는 오로지 내가 감당하여야 하고요.

가시 내어
살아온
이들이   각혈하며
              소복 입고

사막에서
뉘 부르나
 ― 「선인장꽃 앞 합장도 부끄럽다」

얼마나 아픔이 컸겠습니까.

소름 끼치는 마음의 아픔이 가슴을 뚫고 번져 뾰족한 가시 되고,
이것들이 온몸에 전염병처럼 '좌 – 악' 번졌습니다. 선인장(仙人掌)

신선 벌린 손
가시 돋은 손바닥
얼마나 치열한 수련 있었으면
모래알 구르는
새벽이슬 한 방울
그것마저 버거운가 몸 맘이여
　　－「신선 손바닥 선인장(仙人掌)」

이런 선인장들이 빨강 꽃을 피워내는 것을 보면
그 앞에 두 손을 모으고 서 있는 그것조차 부끄럽습니다.
내가 오진 고생을 하였다고는 하나 나보다 몇 배나 고생한 사람을
이민 사회에서는 흔하게 볼 수 있기 때문입니다.
　　　　고생이 머리끝까지 올라가 작열아면서도

　　　　　　꽃을 피운 그 사람들　　　　　 말입니다.
　캄캄에다가 깜깜하니 그 틈으로 반 줄기 빛도 절대로 들어가질 못
할 것 같은 어두운 밤인데다가 끈적끈적에다가 축축하기만 해 이보
다 더 기분이 꿀꿀한 날이 있을 수 있을까라는 엄살이 엄습하는 한
여름 같은 봄날 밤
　마음이 오글거리며 밤새 몸뚱이를 이리저리 굴리기만 하다가 어
쩌다가 살짝 잠든 새벽에 평상시처럼 '그 못된 그들'이 나를 깨운 것
이 아니고, '못 듣던 소리'가 나를 흔들어 한쪽 눈을 뜨게 합니다.
　　　　　　　　40년이 넘었는데 –

5월의 비. 그것도 엄청나게 쏟아붓는 소낙비

세상에 있는 소리라고는 오로지 트로피컬 소낙비 소리

– 천둥과 함께

이렇게 눈물겹도록 고마운 비가 온종일 옵니다. 이 비 요일을 아쉽게 마감하고, 죽음에 가까운 깊은 잠이 들었습니다.

다음날 새벽에 일어나, 비가 그만 온다는 어제 일기예보에 실망한 마음으로 커튼을 열었는데. 비가 또 오는 것입니다. 그것도 어제와 같은 소낙비.　　　　　　　얼마나 반가운지요.

하늘에서는 인공위성이 지구를 내려다보고 있습니다. 그래서 언제 비구름이 몰려온다고 정확히 일기예보를 할 수가 있지요. 그런데, 다시 일기예보를 보니, 지금, 비 소식은 없고, 구름 낀 날씨라고 합니다. 지금 비가 쏟아지고 있는데 말이지요.

숨이 턱턱 막히게 하는 AI 스마트 폰 시대에도 이렇게 가끔은 컴퓨터들이 실수합니다. 컴퓨터를 들여다보는 로버트 같은 인간들도 말이지요. **그래서 아직은 살 만안 세상입니다.**

사람이 실수를 안 안다면 그것이 어찌 사람입니까?

인간이 잘못을 안 안다면 어찌 인간이라고 알 수 있습니까?

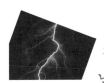

자기는 단 한 톨도 실수 안 한다며
남의 한 올 실수 용납 안 하는 인간
자기 어떤 잘못도 없는 사람이라며
남의 약점을 뜯어내고 부풀리는 인간

고양이 손톱으로 스윽 긁어 한 겹 뜯어보면
머리털들을 화악 깎아 머릿속을 들여다보면
– 「실수 덩어리 가식덩어리 뭉치」

실수를 용납하지 않는 사람 을 손톱으로 스윽 긁어 한 겹 뜯어보면 더 많은   실수 덩어리가 있기 마련입니다.
잘못이 없다고 떠드는 사람 머리털을 깎아 쓰윽 들여다보면 그 머릿 속은 온통   가식으로 얽혀 있기 마련이고요.

실수 쯤 하며 살아갑시다.
잘못도 하며 살아가고요.
그래야 숨통이 조금은 트일 것 같습니다.

■ 유토피아(utopia)는 1516년 영국 토머스 모어의 라틴어 저작《유토피아》에서 유래되었습니다. 그리스어의 ou(없다), topos(장소)의 합성어이지요. 결국 '어디에도 없는 곳' − 현실 세계에 존재치 않는 이상향 나라를 말합니다.

이 저서에서는 하나의 섬이 '유토피아'로 가설됩니다. 10만 명의 인구가 가족 단위로 살지요. 50가구가 최초 단위의 집단을 이루고 지도자를 선출합니다. 이 선출자들이 '평의회'를 형성하고 4명의 후보를 내어 이 중 하나가 '왕'이 되고요. 군사 독재가 일어나지 않도록 군대 조직을 이루고, 화폐가 없고 시장에서 자기 필요한 만큼의 생활품을 가져다 씁니다. 도둑이 없습니다. 집들은 크고 작고가 없고 다 같은 모양과 크기에다가 주민들은 10년마다 주기적으로 이사를 하여야 하니, 집에 대한 집착이 있을 수가 없지요.

읍수
실수하는 자 찬미
허걱
잘못하는 자 만세

괜찮아
나도 그런데 뭘
까짓것
누구나 다 그래
— 「Neo Utopia」

　그럴듯한 사회로 보이지만, 가설이 현실하고 너무 동떨어져서 그
야말로 존재하지도 않고 존재할 수도 없는 유토피아입니다. 가설도
잘못되어 있고, 아무리 당시 사회적 배경까지 생각하여도 가설 자체
에 대하여 유감이고 안타까운 마음조차 듭니다.

　이상향 사회가 없을 것이라고 작정하고 쓴 저서일 리야 없겠지만,
이름 자체가 잘못된 것을, 과학이 저리도 시퍼렇게 번뜩이는 현대
에서도 '이상향 사회/나라'를 유토피아라고 부르는 것은 잘못되었
습니다.

　유토피아라는 단어를 지우려면,

　유토피아의 어원에 근거하여서 수정하여야 합니다.

　즉, 그리스어 $ιδανικός$/idanikós(이상) + topos(장소)의 합성
어 Idantopia가 되어야 합니다.

　이상형 사회 '아이단토피아'는 실존적 이상사회(Existential Idan-
topia)로서 존재할 수가 있을까요? 이를 위해서 현대 인류는 여러
시도를 하였습니다. 민주주의, 사회주의 그리고 인민 민주주의 등
이지요.

　그러나 이 어느 하나도 이상향은 아닙니다. 역사적으로 보아도 그
렇고, 지금 현실을 보아도 그렇습니다. 인민 민주주의, 사회주의, 민
주주의 모두 그 취약점을 보완하여 이상 나라/이상향을 건설할 수
있는데도 기득권이, 오랫동안 자기들이 장악한 권력을 놓지 않으려

는 확고한 의지 때문에 어떠한 개선의 노력도 하지 않지요.

　민주주의는 대표를 뽑아 놓고는 그들이 나랏일을 잘못하여도 4년/5년 동안 바꾸지를 못합니다. 바꾸려면 국민이 데모하고, 피를 흘려야 될 정도로 바꾸기가 쉽지 않습니다. 국회의원들도 한 정당이 압권으로 집권하면, 민주주의의 근간 견제와 균형 삼권 분립이 와르르 무너지고, *바로 독재가 되는데* 이 횡포를 그냥 4년을 견뎌야 합니다. 이는 국회의원 정족수 1/3 정도를 2년마다 선거하면 개선이 되는데, 어떤 개선의 노력도 하지 않습니다. 입법, 사법, 행정 모든 곳의 절대 권력을 개선할 수가 있는데도, 간판 뿐인 연구기관에서는 실천적 해결안을 제시하지 않습니다.

　민주주의는 민주주의 국가의 대다수 국민이 현재 불행한데도 민주주의가 이상형 제도라고 믿고 개선 시도를 안 합니다. 민주주의와 공존하는 자본주의는 인류의 미래를 위해서 불행한 시스템입니다.

　자연 파괴, 지구 온난화, 부의 양극화, 행복한 삶에 대한 부재와 함께, 모든 것을 돈과 숫자 그리고 비교로 인류를 피폐하게 만들고 있습니다. 이러한 악 현상은 점점 심화하여 가고 있고요.

　공산 사회주의는 세계 어느 나라이든 집권 일가가 장기 집권합니다. 장기 집권에 따른 횡포와 부작용이 확연히 드러나고 있는데도 바꾸려는 사회 분위기 자체가 실존하지 않습니다. 민주주의보다 더 지독하게 '계속해서 쭈욱 -' 일관되게 집권층만 잘 먹고 잘 사는 '울트라 수퍼 갑질' 체제인데도 말이지요. 절대다수 인민이 행복하지 않고 독재적 권력으로 인한 기본적인 자유도 억압되고 있는데도 불합리한 부분을 그냥 방치하고 있습니다.

　사회주의는 민주주의의 장점을 도입하고, 민주주의는 사회주의의 장점을 접목해야 합니다. 정치 이외에 인류는 역사적으로 종교에 영향에 많이 받아 왔으니, 종교가 맑고 밝으며 향기로운 사회건설에 어떤 역할을 하여야 하는데 지난 과거 역사 2천 년을 통해 보면 전혀 그렇지 않았지요. 그러면 당연히, 미래 2천 년도 기대 불가입니다. 즉, 정치에도 종교에도 희망이 없다는 것이 암담하고 싸늘한 현실입니다. **그래서 세계의 모든 국민이 피곤합니다.**

행복하지 않습니다.

이상영 나라를 건설하는 것은, 총과 칼을 가진 이들 때문에

그저 맨손인 선량한 국민이 어쩔 수 없다 치더라도,

이상영 사회를 건설할 수는 있습니다. 즉,

개개인 행복에 대한 개인적 성찰

그리고 일반 국민이, 인성 개조에 필요한 작은 변화부터 시작하면 됩니다. **시시/소소/수수한 일들이 바로 행복에 직접적 관련**

이 있다는 것을 국민들에게 각인되도록 하고,

시시/소소/수수 안 일들이 최고의 가치가 있다는 것을 교육.

이를 하나하나 작은 일부터 실천해 나가면 됩니다.

사회적 분위기 쇄신의 작은 예를 들어 보면,

관대해지기.

'아차, 아이고, 읍수(oops) 실수도 하고/헉, 허걱, 잘못도 하고 누가 말을 실수하고 글로써 잘못해도 괜찮다 괜찮아, 까짓 것. 그 사소한 것 같고 무슨. – 나도 그러는데 뭘 그래. 누구도 그랬다더구나. 다들 그러고들 살아.'

학교에서 모두가 이렇게만 해도 그 학교는 이상 학교이고요

직장에서 모두가 그렇게만 해도 그 직장은 이상 직장입니다.

다른 거창한 방법도 있습니다.

UN에서 개발 도상 국가를 권역별로 선정하여, 반대급부로 5년 동안 경제지원을 해주면서, 민주주의와 사회주의의 장점만을 살린 제

도를 Implantation하고 이를 Monitoring해 보면 희망이 보일 것입니다. Screening 과정에서 부작용이 발견되면, 이를 수정 보완하여 시행하고 또 Monitoring하고요. 이런 Processing을 거치면 확실한 이상향 국가 운영체계가 창출될 것입니다. 이 결과를 모든 국가에 서서히 단계별로 접목하면 인류가 균등하게 행복한 사회건설이 가능합니다.

여기도 노랑
저기도 자주
야생 꽃인데

오래전
불 칼 깊이 스친
저 나무

올해도 시커멓게
바람만 맞고 있네

어떤 모습이었었나
기억조차 나지 않는
　　─「분명 나도 꽃 피었었을 텐데」

사람이 날아갈 지경
모진 바람 앞
바위 가루 된 모래에
뿌리 잠시 낸

사막 주황 파피꽃들
꽃잎 하나 내어주지 않네
　　　내 어찌 피운
　　　생명인데라며
—「바람 앞 불 꺼트린 회색 영혼들에게」

야생 꽃 보러 가면 왜 그렇게 바람이 많이 부나 모르겠습니다.
모래 알갱이 속에 뿌리내린 꼴이 못마땅해서
그 와중에 기가 막힌 꽃잎 피워내니 속 뒤틀려서
올해는 양귀비 과인 파피꽃을 보러 간 날, 다른 해보다도 유난히
바람이 불었지요. 눈에는 선글라스를 썼으니 그런대로 괜찮은데, 어
쩌다 잠시 입을 조금만 벌리면 사막 모래알이 입속으로 들어와 지근
지근합니다. 사람이 서 있기가 힘들 정도로 바람이 심하게 부니 바
람 소리가 무시무시합니다.
　산 전체를 뒤덮은 파피꽃을 비롯한 야생화 다섯 종류가, 바람이 내
치는 데로 거의 땅에 닿을 정도로 누워져 힘겹게 가냘픈 몸을 지탱
은 하고는 있는데, 모래에서 뿌리가 뽑히지 않으려 안간힘을 쓰는 모
습이 애처롭기만 합니다. 그런데
모래에 뿌리를 잠시 내린 야생화.
　이다지도 잠시를 쉬지 않는 흉흉한 바람 앞에서, 꽃 이파리 하나
떨어져 뒹구는 것을 볼 수가 없습니다.
　　　　이래서 야생화　입니다.
　이렇게 오지게 못된 바람도 야생화 꽃잎 하나 떼어낼 수가 없다니
요. 사람들이 키우는 꽃들은 아마도, 이런 바람 앞에서는 뿌리째 뽑
혀 나갔을 것입니다.
　야생화들은 오진 바람 앞에서 이렇게 말하고 있습니다.

우리의 생명   우리의 삶은 우리 스스로 결정한다.

아무도   아무것도

　　　　너의들이 우리의 삶과 생명을 좌우할 수는 없다. 라고요.

　세계 약 750만 한국인 해외 이민자 중에 해외 이주를 개척한 초기 이민자들은 사막 유목민 같은 삶을 살았습니다.

　사막의 야생화 같은 질긴 생명력으로 살아 온 사람들이지요.

　　　　　물도 없는 사막에 그 가냘픈 새벽이슬로

　　　　　흩어지는 모래알에 뿌리를 내린 사람들

　그들이 주위에서 하나둘 생명을 다하고 있습니다. 철 지난 야생 꽃들처럼 말이지요. 이들이 스스로 누렇게 퇴색하여 이파리들을 내어주고 있는 모습을 보면 찬란합니다. 그리고 장렬하기도 하고요.

　　　　지고 있는 야생 꽃들 옆에 그들보다 먼저

　　　　불에 타버려 생명 날린 나무 안 그루　 가 합장하고 있습니다.

　　　　다비식을 끝내고 부처가 되었을, 멋지게 생긴 나무.

　　　　야생화. 이민자. 불탄 나무. 이 모두 같은 Image입니다.

　그런 경지인지 그런 지경인지

화내고 싶은데 화가 안 난다

미워할 일인데도 밉지가 않고

욕심나야 정상인데 안 그렇다

집착할 일인데도 그렇지 않아

그런 경지인지 그런 지경인지

　　—「아무튼 부처」

220

나이가 들면, 화가 날 일임이 분명한데 화가 나지 않습니다. 몇 년 전만 해도 미워서 죽을 만큼 싫은 사람인데 미워할 수가 없고 탐욕이 일만 한 일이고, 집착할 충분한 상황인데도 그렇게 안 됩니다. 노인이 되어서 기력이 달릴 지경이 되어 화를 내면 당장 몸에 신호가 '띵 – ' 하고 오니 그랬던/ 미워하면 오늘 밤 잠 못 자고 내일 아침 '띠 – 용' 하고/ 욕심내고 집착하면 그 후과가 '빠 – 각' 어떤 줄 뻔히 알아 그러던/ 아니면 나이 들어 노인이 경지에 든 도인이 되었던 그것은 중요하지 않습니다.

어찌했거나   아무튼   좌우지간
부처가 되면   되는 거 아닙니까.

나는 위대하다
참 대단하다

내 삶도 내 행복도 오로지 나의 선택이거늘

변화하는 그것에 대한 두려움에 습관의 낡은 옥사에서 나오질 못했다. 그 우리 속이 편안하다는 착각의 익숙함을 선택하는 데에서 벗어난 적이 없다. 내가 원하는 삶이 이것이었을까? 내가 다시 태어나도 이런 삶을 살 것이라는 확신이 전혀 없는 삶을 왜 살아왔을까? 왜 나는 남이 나를 어떻게 보아줄까에 목숨을 걸고 살아왔을까? 내 주위의 사람들 생각에 맞도록 그들 기대에 맞는 삶을 살아온 나는 바보가 아닐까? 무엇이 두려워 나는 그렇게나 솔직하지 못했을까? 나의 꿈은 있기나 했었는지 할 정도이다.

다른 사람들과 속해 있는 단체 분위기 맞추느라 속 시원히 내 감정을 속 시원하게 나타내 본 적이 없었다. 속에서만 부글부글

끓이기만 했었다. 그 어떤 무엇이 중요하지도 않은데 친구들 자주 못 보았고 그들에게 친절하지도 못했다. 왜 모든 일에 그렇게 목숨을 걸고 열심히 하기만 하였을까? 내 목숨은 단 하나인데. 왜 그렇게 소속에 열심히 일해 주었을까? 힘들여 공들여 일만 하는 사이에 가족들이 떠난 지 오래되었고 그들은 다시 돌아오지 않는다. 왜 그렇게 마음에 여유를 주지 못하였을까?

참 대단하다
참 위대하다 나는
　　―「대단한 우리」

이렇게 살아오신 분들은 이 글에 공감하시리라 생각됩니다. 당연히, 너무 늦은 것 아닌가 하며 후회하시는 분도 많으시리라 생각되고요.
지금　　　바로 지금부터　　다시 시작하면 됩니다.
봄이니까요

비 구름 지나간
바다 저 너머로

석양　드리워진
창문　보노라면
　　―「가슴에서 배 떠나네」

바닷가 석양의 붉은 빛이, 바닷가 산 위아래 옆으로 퍼진 집들의 창문에 일제히 비칩니다. 지는 해보다 더 붉게 빛을 머금고 있는 그 수 많은 창문의 장관을 보노라니, **가슴에 정박하여 있던 그 오래된 낡**

은 배가 닻을 높이 올립니다.
떠나야 할 때입니다.
석양 넘어 파라다이스로

천둥이 가슴 한구석 무너트리고
번개가 머리 모서리 잘라내더니
잠시 자러 가면서 시침 뚝 따고
저리도 찬란한 석양을 드리우네

그래 나도 너처럼 시침 뚝 따고
또 당했네 뭐 한두 번도 아니고
만만치 않게 녹슨 닻 올리고
아무렇지도 않게 저 파도 향해
　─「자 ─ 석양이다 시침 뚝 따고」

하늘 무지개
곧 사라지니

가슴 새겨진
검붉은 석양
　─「그것에 의지하고」

하늘의 무지개를 쫓는 사람들이여.

신기루보다 더 빨리 사라지고 말, 그 착시 빛 노리개에 정신 팔리지 마시지요. 저 넘어가는 해를 보며 당신을 돌아보고, 밖으로만 무지개를 찾던 마음을 자기 자신에게 〈회광반조; 回光返照〉하여, 오히

223

려 석양을 가슴에 새겨 보시지요.

석양이 가슴에 우끈 뜨겁게 들어오면
덜거덕거리던 머리가 서늘해진다오.
오로지 믿을 것은 자기 자신의 가슴에 새겨진 것이니,

그렇게나 천둥 번개를 내려치다가, 자기 쉬러 들어간다고 시침 뚝 따고 슬쩍 지구 저 너머로 들어가 버립니다.

그래요?　　　　　그럼 – 뭐 – 당해 온 것이 한두 번도 아니고,

　　　　지금 머리도 좀 깨지고 가슴도 한쪽이 가라앉기는 했지만,

까짓 것 – 녹슨 닻 올리고, 아무 일 당하지 않은 것처럼 시침 뚝 따고 천연덕스럽게 저 석양을 위안 삼아 '파도를 노려보며 멋진 항해'를 다시 해 보렵니다.

아무것도
안 하고
장대비를 보노라면

숨소리도
가늘게
비 소릴 듣노라면
　－「전설 저 깊은 곳
　　　맑은 물 스미네」

장대비를 볼 때는 아무것도 하지 않고 장대비만 봅니다. 장대비의 소리를 제대로 들으려면 우산 집어 던지고 내 숨소리도 가늘게 하여 빗소리를 들어야 합니다. 그러면　　　 －　　　 내가 장대비가 됩니다.
　시원한 빗줄기가 된다는 것은 얼마나 아름다운 일인지요.

그 순간 얼마나 행복안지요.

내가 없어지는　　번뇌의 내가 사라지고 마는　　　　그 행복안 순간

그러면 저 어렸을 때의 소년이 보입니다.

　　　　　　　전설의 아이. 맑은 옹달샘 같은 아이.

덩덩

덩덩 쿵

덩덩 덩더쿵

촬 촬 촬 촬 촬

휘이 휘이 휘 휘이

　－「무당 춤사위에 나부끼는 미래」

지금 하고 있는 것을 보면

확실히 알 수 있는 것을 갖고

누구나 궁금해하는 것이 있다

예측할 수가 없다고 하면서

　－「자기의 미래 보는 방법」

네가 지금 생각하는 것

행동하는 것

그것이 봄바람 씨앗이니

　－「어찌 함부로」

사람들이 두 손을 간절히 모을 때는 대개 두 가지 경우입니다.

하나는 자기나 가족이 처한 병, 곤란/고난을 피하고 싶을 때

다른 하나는 자기나 가족의 미래를 알고 싶을 때/ 미래 소원 성취가 되겠지요.

이 두 요소의 필요충분 요소로서, 종교는 인류 역사와 함께하였습니다. 한국에서 제일 오래된 종교는 고조선부터 존재했던, 무속신앙(巫俗信仰)이지요. 한국에 불교, 기독교가 전파되기 전부터 무속신앙은 백성들의 생활에 밀접하게 관여하였습니다. 현대 종교가 어느 정도 자리를 잡은 1950년대까지도 왕성하게 무속신앙이 전국에 퍼져 있었고요. 시인도 어렸을 때 무당의 굿을 볼 기회가 종종 있었습니다. 어린 소년의 두 눈에, 화려한 옷을 입고 작두에 올라서서 춤을 추면서, 작은 방울(무령)을 울리고 이상한 주문을 외우는 무당의 모습은 신기 그 자체였습니다. 무당들은 접신을 하여서 남의 과거와 미래를 내다본다고 하지요.

자기/남의 미래를 알고 싶어 하는 것을 참는 것은, 오래 꾹 참아온 소변을 더 이상 참기 힘든 일 같이 견디기가 힘든 일인가 봅니다. 이런 궁금증에 대한 조급증에, 그럴싸하게 접근하여 돈을 챙기는 시도는 인류의 역사와 함께하였습니다.

부채와 작은 방울이 많이 달린, 요령을 양손에 잡고 신나는 장구와 꽹과리 소리에 무당은 춤을 추었지요. 춤을 추다가 죽은 사람의 영혼이 자기 몸에 들어와서 말을 전한다며 무당이 소리를 변형하여 통곡할 때는, 유가족들이 그 소리를 듣고 벌벌 떨기까지 하며 돈을 무당 앞에 바치게 됩니다. 장군복이라며 무당이 입은 옷은, 일반사람들이 입지 않는 화려한 옷이기 때문에 유족들은 그 앞에서 경외감을 표시하였지요. 한쪽에서는 향을 피우고 악사와 보조 무당들이 같이 조직적으로 움직이기 때문에, 이웃 마을 사람들이 모두 모여서 구경하기에 손색이 없는 마을 행사이기까지 하였습니다. 굿은 10시간, 심지어는 새벽으로 이어지기까지 하였지요. 아이들이 긴 시간의 굿을 보다가 지쳐서, 집에 가서 밥을 먹고 다시 와도, 아직도 굿이 이어지고 있는 것을 보고 놀랐던 기억이 생생합니다.

굿은 대개 1년 12달을 상징해서 그런지, 12마디로 구성이 되는데 이중의 하이라이트 격인, 작두타기와 삼지창에 돼지갈비 짝 세우기를 보는 것은 참으로 신기하기만 하였습니다. 무당들은 굿을 진행하면서, 굿을 의뢰한 사람들이 원하는, 접신을 통한 병의 치료와 미래 예측 그리고 액땜하게 되는데, 이러한 과정은 신/장군님과 일반인/평민들 사이에서 자기들이 양측을 대신 소통하는 것이라 주장합니다. 평상시에 사람들이 아무리 신에게 빌어도 신이 답을 하여 주지 않으니 얼마나 답답하겠습니까. 그러니 자연스럽게 사람들의 말을 신에게 전하고 신의 의사를 또 평민들에게 전하는 매개 전달자가 있어야 한다고 믿어 왔던 인류입니다.

그런데 문제가 자기네들 주장이 맞고 안 맞고의 문제가 아니고, 사람들에게 공포 조장/협박을 한다는 것입니다. 자기네들이 하는 말을 따르지 않으면 어떤 재앙이 따른다면서 목소리도 크게 소리를 지르면서 겁박을 가합니다. 그 협박의 밑바탕은 당연히 선량한 사람들로부터 금전을 취하거나 다른 형태의 부당한 이익을 갈취하려는 것이지요. 어떤 종교이든 그 종단을 이끄는 성직자들은 자기네들이 얼마나 〈선량한 사람들을 섬기고 있나〉를 토속신앙의 삼빡한 작두 위에 자기 자신을 양심적으로 올려놓고 아슬아슬하게 보아야 합니다. 본인들의 말 속에, 행동 속에 자기네들이 섬기는 신을 무섭게 덧칠하고 색칠하여서 공포감을 조장하지는 않는지….

무서운 신을 강조한 뒤 배경을, 양심 성찰하여야 합니다. 자신의 권위를 높이려고 그러는 것은 아닌지. 자기 교단의 이익을 추구하는 가면은 아닌지. 성직자의 권위는 그들 스스로가 예수, 부처, 무함마드의 행동을 할 때 찾아지는 것이지 결코 겁박으로 얻어지는 것이 아닙니다. 사람들에게 **권위를 높이 받으려 하는 것은 비뚤한 교만** 이지요. 높임을 받아야 할 대상은 성직자가 아니고 천주님, 하나님, 부처님, 무함마드라는 것입니다. 겸손/Humility의 어원은 땅(humus)입니다. 천주교 사제는 서품 받을 때 엎드려서 몸을 바닥에 댑니다. 이 순간 읽히는 경문의 핵심은 "너희는 땅처럼 사람들을 섬겨라."입니다. 그런데 그때 잠시 엎드렸다가 일어나고서는, 태도가 돌변합니다. 그 돌변한 모습을 평생 유지하고요. 로만 칼라 유니폼 입고 우리 눈높이 더 항상 높은 곳에 계신 분들은, 얼마나 자주 '자기 자신을 땅처럼 하고 엎드리는가'를 자기 자신에게 – 일어나서 잘 때까지, 그리고 꿈속에서도 물어보아야 합니다. 스님들도 삼천배하고 일어나서는 지금 무슨 마음인지 묻고 목사님들도 스스로 묻고 또 물어야 합니다. 또한, 사람들 앞에서/군중들 앞에서 자기 목소리 몇 배로 높이는 마이크 잡고 구약의 무시무시한 신의 보복이나 처벌을 들먹이면서 선량한 사람들을 겁박하는 앙큼한 만행을 저지르고 있지 않은가를 살펴보아야 합니다.

자비의, 용서의, 사랑의 하느님 하나님 부처님이신데 그 반대의 무지막지한 하느님, 부처님을 부각하는 이유는 두 가지입니다.

자기네들의 말을 순순이 잘 듣게 길들이려는 것이며
자기들이 원하는 것을 토 달지 많고 달라는 것이지요.

이렇게 하지 않으면 조폭들의 〈재미없다〉식 겁박합니다. **단골 메뉴가 〈지옥 떨어진다〉** 이고요. **잘 나가는 부속 메뉴가 〈벌 받아서〉** '하는 일 안 되고 병들고 다치거나 죽임을 당한다.'입니다. 일반신도들보다 더 비싼 원단/다른 디자인 옷을 입으면 자기들이 더 비싸고 고급된 생각을 하고 더 세련되고 지성적인 행동을 한다고 여깁니다. 일반신도들은 생각/판단/예측이 모두 자기네들보다 한 수가 아래라는 교만을 기본으로 하고 있습니다. 이렇게 오만하다 보니, 자기네들이 모시는 신과 비슷하게 자기네들의 말과 행동을 신격화합니다. 그들 스승/선생님/신의 거룩한 가르침을 Degrade 모욕하고 있습니다.

Majority의 성직자들은 다들 잘하고 있으리라 믿고 싶습니다. 하지만, 저는 불운하게도 교회 봉사를 오래 깊숙이 하면서 수많은 성직자의 비리를 직접 생생하게 3D로 깔끔하게 경험하였습니다. 그들이 왜 그렇게 그들의 스승을 욕되게 하며 살아갈까요? 이유는 단 한 가지입니다. **신앙심이 없기 때문** 입니다.

신앙심이 있다면, 그들의 신이 무서워서도 그런 짓들은 하지 않을 것입니다. 그리고 일반 평신도가 죄를 지으면 법적인 제재를 받아서 감옥에 갈 그런 죄들을 그들은 면책받습니다. 그들이 소속된 종단(교구, 수도회)에서는 성직자의 죄상이 드러나면 종단의 Image가 손상이 가고 다른 종교에 뒤질 수 있다는 생각에서 타락된 이들을 암암리에 보호합니다*. 죄가 단죄되면, 다른 성직자들도 조심을 할 텐데 장상, 주교들 상급자들이 보호하여 주거나 솜방망이 처벌합니다. 잠시 사람들이 그들을 알아보지 못하는 먼 지역에서 잠시 쉬게 하거나 다른 사목을 하게 하여 주니, 그 악의 뿌리는 점점 깊어 갑니다.

그들의 신앙심은   저희 평신도보다 못하며

그들의 종교관도   열심히 한 평신도보다 떨어지며

그들의 인격도   보통 수준 평신도보다 '훨 – 씬' 처집니다.

인생의 모든 산/수/공/시가전/테러전을 경험한 노련한 평신도들이 그저 그런 책 몇 권 읽은 철밥통 갑질 무경험자들에게 삶을 의논합니다. 또한 그들과 가까이, 매우 가까이 지내다 보니 그분들끼리 이야기하는 그것을 자주 목격하게 되었습니다. 그 대화 중에 그들이 쉽게 하는 말이 있지요. **"하늘 아래 두 태양은 없다."**

가톨릭에서의 사제는 절대 권력자입니다. 평신도들로 이루어지는 사목회의 회장을 민주적으로 신자들이 투표로 선출하고 회장에게

실질적 결정 권한이 주어지면, 교회가 제법 〈예수님처럼〉 되었을 것입니다. 아름다운 교회가 되었을 것이라는 뜻입니다.

그렇지만, 사목회장은 사제가 사제의 말을 잘 듣는 사람을 지명하게 마련이고. 어떠한 의결기구의 장도 아니기 때문에 교회의 모든 최종결정은 사제가 혼자 합니다. **"하늘 아래 두 태양은 없다."** 를 수시로 외치는 것이지요. 모든 민주적 반대 의견은 번번이 사장되고 마니, 전문적/진취적/예수님 가르침 적/인 의견은 반영이 잘 안 되고, 교회에 산적된 고질적인 문제들은 해결 기미가 전혀 안 보입니다. 그러다 보니, 산뜻한 이성과 지성을 가진 사람은 아예 교회의 일에 나서기를 꺼리기까지 합니다. "하늘 아래 두 태양은 없다"는 말은 매우 투쟁적, 비민주적인 말입니다. 어떠한 경기나 패거리 싸움할 때 이 표현이 자주 쓰이지요. 역사적으로 보면, 종교전쟁도 바로 이 정신 아래서 자행되었습니다. 30년 전쟁, 200여 년간 있었던 십자군 전쟁은 물론이고 거의 모든 세계의 전쟁은 자기의 주장과 자기네들의 문화/종교만이 옳다는 바로 **"하늘 아래 두 태양은 없다."** 라는 구호/정신/술책 아래서 자행되었습니다.

끔찍안 문장입니다. 피 튀기는 섬뜩안 Sentence**입니다.**

하늘 아래 두 태양 없다며
북소리 요란하여
수백 년 민초 불살라졌고

하늘 한 태양 그리도 중해
붉은 깃발 올려져
수천만 생명 거꾸러졌으니
  ―「하늘 격노할 만행」

기독교 태양은 하나입니다. 불교의 태양도 하나이고 이슬람의 태양도 하늘 아래 오로지 하나입니다. 그러니 힌두교처럼 다른 신/태양을 절대로 인정/용납할 수가 없지요.

이렇다 보니 종교의 제일 크고 높은 건물 속에, 높고 깊숙한 의자에 앉은 분이 깃발을 조금 높이 올리고 목에 힘줄 튀어나오게 소리를 높이면, 순진하고 불쌍한 평신도들은 할 수 없이(십자군 시작 참여자들이 거의 농민이었듯이) 아내/아이들/친구/생업을 모두 내동댕이치고 살인 현장으로 끌려가야 합니다. 그 현장에서 상대방/나를 죽일 사람들은 또 그들의 우두머리로부터 교묘한 획책의 채찍을 맞고 자기네들 목숨과 상대방 목숨을 패대기치러, 날카로운 불 뿜어대는 살인 무기를 휘두르게 됩니다.

이 세상에서 제일 무서운 문장/ 반인류적 살인 문장
" 하늘 아래 두 태양은 없다."

우리 육안의 태양은 하나이지만, 항성의 절반이 넘게 여러 개의 태양을 갖고 있습니다. 다중성계(多重星系; 태양 같은 항성(恒星)이 여러 개 있어 서로 주위를 돌아감)이지요. 실제로 4개의 태양이 새로 생성되는 모습이 지구로부터 800광년 떨어진 모습으로 포착이 된 것은 잘 알려진 과학적 진실입니다.

지평선에 두 개의 태양이, 사이좋게 멋있는 노을을 만들어 내는 영화 스타워즈(Star Wars)의 모습을 기억하시나요. 그렇게 삽시다. 새로운 시대/살맛나는 세대/과학 시대에 너덜거리는 시대/죽이고 죽는 세대/비과학적 시대에 쓰던 무시무시 무지막지한 구호/생각/행동 제발 이쯤해서 그만둡시다.

고성능 현미경/망원경을 들여다보고 DNA/RNA/디지털/AI/self-driving car를 자세히 들여다보고 있는 우리의 사랑스러운 자녀/손

자 세대 앞에 제발 무식하게

"하늘 아래 두 태양은 없다."

라고 하지 맙시다.

하늘에 태양이 하나가 아니랍니다.

하늘에는 태양이 많고도 많습니다.

를 UN의 구호로 합시다. 국가 국지 분쟁지역에 자국 국기 대신에 하늘에 여러 개 태양이 있는 깃발을 휘날리게 합시다.

이렇게 되면, 숨쉬기가 좀 편안해질 것입니다. 죽어 나가는 불쌍한 예수/부처/알라의 자녀들도 없어질 것이고요.

....

✱영화 Spotlight를 보셨나요. 아카데미상 최우수상, 각본상을 받은 작품입니다. 가톨릭 매사추세츠주 교회에서 10여 년간 벌어진 아동 성추행 사건을 다루었지요. 보스턴 지역에서만 약 87명의 사제 추행으로 피해자는 1,000명 이상이 된다고 합니다. 당한 아이들은 각종 정신질환, 알코올/마약중독의 늪에서 빠져나오지 못하고 심지어는 자살까지 합니다. 이 끔찍한 범죄에 대하여 교회가 얼마나 진지하게 반성하고 있는지요? 교회의 대책을 보고 있노라면, 이들이 과연 예수의 가르침이 무엇인지 알기나 하는가? 하고 기가 막힐 따름입니다. 영화 끝난 뒤, 세계 곳곳에서 자행된 성추행 지역들이 자막으로 올라가는데 그 숫자와 지역을 보노라면, 이것이 나의 생거의를 바쳤던 교회의 모습인가? 하는 자괴감이 듭니다.

또 있습니다.

프랑스 한 나라에서만 3,000명의 사제와 교회 관계자들이 지난 70년 동안 약 33만 명이라는 엄청난 숫자의 아동을 성적으로 추행/학대하였음이 보도되었습니다. 70년 동안 교회는 무엇을 했을까요? 3,000명의 그 짐승들은 어떤 제재를 받았습니까? 그 야수 짓을 해 놓고도 계속 거룩한 척 성사를 주제하고 사제직은 계속되었습니다. 하루에 13명의 어린 영혼들이 매일 매일 희생당하는 일을 교회에서는 덮어 왔습니다. 33만 명의 그 어린 영혼들에서, 평생 갈 그 정신적, 육체적 피해에 대하여 어떤 조치와 보상을 했나요? 일반인이 그런 짓을 하였으면, 감옥에 가야 하는데 감옥은커녕 면책특권으로 계속 교회에서 갑의 위치에 있는 사제들을 감싸는 세력은 악마일까요? 아닐까요? 이것이 프랑스만의 문제일까요? 유럽 전반의 문제이고, 남미도 심각하다는 것은 교회 성직자들이 다 아는 사실 아닌가요? 다른 지역, 특히 아시아와 한국교회의 숫자는 얼마 안 되니까 다행이라 생각하시나요? 피해 아동의 상당수가 남자아이들입니다. 이것은 상당수의 성직자가 동성연애 성향이 있기 때문이라는 말을 들었는데 - 이런 면을 쉬쉬하고, 이러면서도 성 소수자들을 구약의 구절을 내세우며 이중 잣대로 박해하는 것이 지저분하게 괴이한 일일까요? 아닐까요?

교회가 신자들을 걱정합니까? 주교, 사제, 장상들이 신자들을 걱정하여서 기도하고 미사 드리며 묵주신공 하나요? **착각도 포장된 갑질입니다**. 신자들이 주교, 사제, 장상들을 위하여 절실히 기도하고 있습니다. 그들에게 제발 신앙심이 있기를 매일 뜨겁게 기도하고 있습니다. 추기경, 주교 몇 명이 무릎 꿇고 언론 앞에서 사죄 성명을 발표하면 해결이 되나요? 그러면 그 이후에는 이런 참담한 일이 벌어지지 않나요? 교회 내에서 방지 교육한다고 근절이 되나요?

착각도 결과는 명백한 위장된 폭력입니다.

해결책은   1. 교회 성직자들의 갑질 권력 무력화.

2. 만행 추모/기념비

3. 추행 사죄 정례 미사 봉헌입니다.

첫째, 신자들 주도 민주적으로 선출된 사목 위원들이 교회의 재정,

운영, 감사 권한을 가져야 합니다. 또한, 증거에 입각한, 비리 성직자 탄핵권을 갖고 탄핵을 당한 자는 자동으로 처벌되어야 합니다. 이것이 이루어지지 않는 한, 피해자는 계속 그늘 속에서 늘어날 것이고, 주교들은 줄어드는 사제 숫자 때문이라며, 사제들 죄를 덮어 '돌림빵'이라는 기가 막힌 꼼수를 계속 쓸 것이고, 교회는 빠른 몰락의 운명을 피하지 못할 것입니다. 둘째, 지금까지 드러난 것은, 빙산의 일각입니다. 보스턴 교구가 문제가 되어서, 이 문제가 이슈화되기 시작하였으니 얼마 안 되었지요. 그 전의 문제는 모두 비밀리에 묻혔습니다. 전 세계 교회에 독버섯으로 퍼져 있는 이 고질적인 병에 희생된 수많은 희생자를 추모하고, 기념하는 '소년 소녀상'을 제작하여서 각 교회 성모상 곁에 두고, 위로하고 '재발 방지 결의'를 다짐하여야 합니다. 마지막으로, 매년 한 날짜를 지정하여서 세계 모든 가톨릭교회가 '희생자에게 사죄하고 위로하며 재발방지를 위한 미사'를 봉헌하고, 봉헌금 전액은 희생자들에게 전액 지불되도록 하여야 합니다.　　　해결책이 이행이 안 되면 가톨릭교회의 참담한 범죄는 계속될 것이고 희생자는 끊이지 않을 것입니다.

그리도 오랜 진화
천둥 번개 소나기 시원한 하늘이건만
그렇게 오랜 퇴화
철들지 않는 사람들 입김만 뜨거우니
　－「소나기 같은 사람을 찾습니다」

인간은 진화하였습니다.
몸으로 보면 그렇지요
사람은 퇴화하고 있습니다.

234

마음을 보면 그렇고요.
— 「진화와 퇴화 절벽」

　나날이 하루하루 매일 매일 주위의 사람들 차례차례 살펴보십시
오. 행복하지 않은 일만 골라서 하지 않습니까?

　현대의 문명은 근대 올림픽 구호와 똑같습니다. 올림픽 구호는
1894년에 근대 올림픽의 아버지 쿠베르탱 남작이 만들었지요.

　"더 빨리, 더 높이, 더 힘차게;; Citius! Altius! Fortius!"

　링으로 보자 치면, 두 개가 빠진 셈이지요. 'Citius! Altius! For-
tius!'에다가 "더 넓게, 더 많이"까지, 더하면 '현대문명의 상징' 오
륜이 완성됩니다.

　이 **'5 더더더더더의 연대문명'** 의 결과는 어떻습니까?

　사람들의 마음은 더욱 좁아졌고 행복을 감지하는 능력은 더욱 둔
화하였습니다. 더 천천히, 더 낮게, 더 힘 빼고 Relax하여야 하는데,
그 반대로 더 빨리빨리, 더 높게 높게, 더 아주 많이, 더 넓게 넓게,
더 힘 있는 것이 진리라고 모두 거꾸로 경쟁을 하니….

　인간사회의 핵심 구조인 가족은 분해되고, 사람들 신뢰는 공중 폭
파되었으며, 시간을 절약하려고 한 현대문명의 결과는 모든 인류가
시간이 없어 전전긍긍하다가,

　　　〈사람다운 사람 종〉은 멸종위기　　까지 몰려 있습니다.

　　사람의 변종인 무서운 인간 종만이 살아남아　겉으로 웃고는
있지만 속으로는 절대로 웃지 않는　**속과 겉이 다른 변종 뮤턴트종**
만 지구에 생존하고 있습니다. 더욱 시야도 좁아지고, 진정한 기쁨
이 무엇인지, 소중한 가치는 또 무엇인지 점점 몰라가는데, 인간을
가르치는 학교나 종교 단체에서는 숫자로 자기네들 영업하는 데만
골몰하고 있습니다. 평균수명이 늘어나면 무엇합니까? 노인 주위에

식구가 없어지고 있는데 말이지요. 학력이 높아지고 상식은 많아졌다고 하는데, 사람들 사이에 지혜는 점점 줄어들고 인간들 문제들은 더욱더 복잡하고 문제 종류가 다양하게 많아지기만 합니다.

문명이 발달되고, 과학이 나노 기술로, 사람 머리카락 굵기의 10만 분의 1, 대략 원자 3~4개의 크기로 물질을 잘라 내고 있지만, 사람 마음속의 내면 1cm도 못 들여다 보고 있습니다. 게다가 쇳덩이 AI까지 여기저기 섬뜩하게 보입니다. 인간이 진화되었다고 하는 것에 이의를 다는 분은 별로 없지요. 하지만 인간은 어느 정도까지 진화하다가, 보이지 않는 벽을 스스로 만든 거기에 갇혀 버린 후부터는 그냥 퇴화의 길을 '전속력 질주'하고 있습니다.

더 큰 문제는 **퇴화를 하면서도 퇴화하는 줄 모르는 어리석음** 입니다. 답답합니다. 시원한 봄 소낙비라도 쏟아 주었으면 좋겠습니다.

때론 점 사평
창도 없는 방
나갈 기약 안개 같은

아니 언제나
빛 줄기 없는
독거실에 처넣어져
　　―「감방 따로 있나」

폐쇄공포증에 시달린다고 하지요. 0.4평의 감방 독거실에 갇히게 되면 말이지요. 고달프더라도 홀로 있는 것이 차라리 낫다는 성격의 죄수를 제외하고는 TV도 없고, 운동도 못하고, 다른 죄수들을 볼 수도 없고, 잠자는 것도 쪼그리고 자야 할 정도로 협소하여서 육체적

236

고통은 물론이고 정신적 고통이 심하다고 합니다. 지금은, 인권 문제 때문에 쪽방 정도의 크기로 넓어졌다고 하고요.

이런 기분이 들 때가 있습니다. 내가 독방에 갇힌 것은 아닐까?
　가석방의 꿈도 전혀 없는 그 독방. 나무와 꽃을 볼 창이 하나도 없는 그 독방.
　　　이런 외로움이 야간에 습격할 때
　　　독방을 즐기는 특이한 성격을 가져야 견딜 수 있으려나?
　　　혼란은 가중되고 있습니다. 이 현란한 현대 생활에서.

◑ 매년 하는 행사가 있습니다. 행사가 아니고 남의 시선으로 보면, 단적으로　　　　　의심의 여지없는 미친 짓.
　마구 쏟아지는 빗방울임에도 날씨가 풀려서 그리 춥지 않은 날.
　하늘을 가리는 우산을 차고에 그냥 놓아두고, 빗속을 그냥 맨발로 걷습니다.
　우산을 안 쓰니. 빗소리가 우산 비닐에 부딪히는 소리가 아니고
　　　진정한 빗소리를 듣게 / 입게　　됩니다.

봄비다
온도 따스하기만 한

빛 바랜 종아리가 보이게
바지를 돌돌 걷어 올리고

대나무 같은 빗줄기 사이

매일 걷던 길 맨발 걷는다

봄비에
온갖 색 벗겨지는데
　－「올해도 우산 같은 마음 접은 채로」

온몸이 젖어 들고, 앞이 잘 안 보여도 잘 보입니다.
시야는 가려지는데 삶의 모습은 오히려 또렷하게 보입니다.
굵직한 빗줄기가 몸을 흠뻑/흥건하게 적시는데　　그 빗줄기 사이
사이로　　　　　　　　　　**마음은 피해 다니며 젖지 않습니다.**

우산 던져버리시라
우비 벗어버리시라
머릿속까지 씻어내고
가슴 깊숙이 청량한
　－「소낙비 축복을 원하면」

비요일 맨발로 다니는
미친 사람이 많았으면 좋겠다
보이는 것마다 미쳐
일부러 미친 짓이 미치지 않은
　－「일부러 미친 것이 진짜 미친 것에게」

　나의 가식적인 색, 내가 입고 있는 온갖 거짓의 색깔들이 하늘의
축성으로 축축 젖어버리다가 하나둘씩 벗겨져나가는 것이, 낡아 살
갗 색마저 바래버리고 만 종아리 밑 발가락 사이로 빠져나가는 간
지러운 맛이 일품이기에 비가 오는 날이면 그냥 맨발로 걷습니다.

238

미치지 않고는 되는 것이 아나도 없는 세상 입니다.

더러워진 손 씻네
하얀 비누 풀어서
쏟아지는 물 틀고
쌓인 거품 내보내네
마음속 깊은 거품도
　—「거품과 물 그것은 무엇인가」

하루에도 몇 번씩 손을 씻습니다. 물을 틀어서 손을 적신 후 비누를 풀지요. 비누로 손을 골고루 문지른 후에 흐르는 물에 손을 갖다 대면 거품이 '솨–' 하는 소리와 함께 하수구로 빠져나갑니다. 이 모습을 볼 때마다 묵상합니다.
지금 내 삶 그리고 마음에 껴 있는 거품은 무엇일까.
지금, 이 순간 거품은 거두어지고 있는 것인가. 그리고
씻어도 또 씻어도 남아있을 거품은 무엇인가.

졸졸졸 시냇물
이 세상 제일 듣기 좋은 소리

졸졸졸 어떻게
그리 맑고 고운 소리 가질까

걸림돌에 걸리며 내려오기에
저리 고요한가

숲속 새들 사라지는 것
산속 푸른 잎 흙 되는 것
쓸쓸하게 보아만 와서 그런가
이름 갖고 싶지 않은 야생풀들
저리도 파랗게 자라게 하여 그런가
처음 흙탕물 흐르고 또 흐르면서 걸러
그 많은 아픔 씻어내며 내려와서 그런가
  ―「시냇물 소리처럼 살 수는 없을까」

졸졸졸 산 속 시냇물 소리
어찌 그리 좋은가
가로막는 걸림돌 막혀가며
내려와 그리 좋은가
흙탕물 거르고 거르다 보니
그리도 소리 맑은가
  ―「제일 듣기 좋은 그대 소리」

졸졸졸
나의 소리다
평생 졸로 살아온   졸졸졸
                                    시냇물 소리
                                    졸을 맑게 살리는
                                    ―「졸졸 시냇물」

　이 세상에는 시끄러운 소리가 장마철 쓰레기 쓸려나가듯이 범람하고 있습니다. 새벽에 일어나서 늦은 밤까지 종일 만신창이가 된 머리를, 살며시 받아주는 베개에 누일 때까지 이 소음들은 귀와 뇌 속

을 파고들어와 쑤시고 다닙니다.

수고했어요
오늘도 만신창이 되었군요
고생했어요
종일 헝클어진 그대의 속
그만 됐어요
이제 나에게 기대어 보세요

내가 대신해
찌그러지고 눌러지려 해요
지금부터는
꿈속에서나마 그렇게 평온히
　　—「베개가 머리에」

베개는 찌그러져 있다
머리 멀리 갈 때까지
　　　　　베개는 늘 눌려 있다
　　　　머리 벗어나지 않는 한
　　—「돌덩이 그 머릿속 무엇 들어 있길래」

　어느 소리가 시끄러운지 나열할 필요도 없이, 현대문명의 모든 소리는 그저 시끄러움의 연속입니다. 뇌파를 항상 불안정하게 만들어주지요. **현대문명 인간 = 고착된 불안정 뇌파**
　그럼 조용하고 뇌의 파도를 잠잠히 하여 주는 소리가 있기나 할까요? 있습니다. 새벽에 현대문명이 잠을 깨기 전 들려오는 새소리, 바람 소리, 나뭇잎 부딪히는 소리, 다람쥐 담장 뛰어다니는 소리, 가끔 저 멀리서 들려오는 높은 파도 소리—

이런 소리는 마음의 평온을 가져다주지요. 그런데, 이 소리보다 더 위안을 가져다주는 소리가 있습니다.

깊은 산속에서 내려오는 시냇물 소리.

소리가 좋다
소낙비 소리
소리가 좋다
바람들 소리
소리가 좋다
새 노래 소리
소리가 좋다
파도들 소리

이들보다 더 좋은 산속 시냇물 소리
막아서는 걸림돌 거르며 돌아온 소리
　　—「그대는 시냇물 소리」

일부러 들으러 가야 들을 수 있는 소리이지만, 멀리 가서 가끔 듣는 것이 아쉬워서 '언제나 이 소리를 항상 들을 수 있으려나' 하는 최고의 소리입니다. 이 시냇물을 '멍 때리기'하며 보다가 보면, 내가 시냇물이 되고 맙니다.
　　　　　　　　　어떻게 저런 소리를 낼 수가 있을까

　　　　　　— 저리도 많은 걸림돌들 돌아오다가 보니

　　　　　　나도 저만큼 걸림돌에 걸려 보았으니

산 계곡 청량수 막아서는
걸림돌도 때로는

어미 잃은 까만 어린 새들
물 먹이는 디딤돌
  ―「걸림돌이 디딤돌」

걸림돌은 누구에게는 디딤돌이지요.
        누구는 걸림돌에 넘어져 물에 빠져 둥둥 떠내려가지만
        누구는 그 같은 돌을 밟고 점점 불어나는 물을 피하지요.

파도와 물이
하나인가

바람과 공기
따로인가
  ―「삶을 꿰뚫어 보다」

파도는 일어도
물이 흔들리지 않으면 파도는 파도가 아니고

바람이 세차도
공기가 잔잔하여 있으면 바람이 결코 아니니
  ―「노인 성불하다」

파도 만드는 이가 누구인가
바람 일으키는 이 또 누구고

파도 올리는 곳은 어디인가
바람 만드는 곳 또 어디이고
　― 「결국 문제는 마음」

인　생　에　서　파　도　는
　그냥 사람이 물 없으면 죽어 버리고 마는 것과 같은 삶의 한 중요한 부분입니다.
삶　　에　서　　바　람　도
　인간이 코와 입으로 들어오는 공기 없이는 2분도 못 넘기고 숨을 거두게 되는,　　　　　　　그런 존재이고요.

　그런데 파도를 일으키는 진원지는 어디입니까?
　바람을 만드는 소용돌이의 속은 또 어디이고요?
　그곳에서 파도를 제조하는 사람은 누구이고,
　　　　　　바람을 제작하는 이는 또 누구입니까?

　아무리 밖에서 누가 번개를 들어 찌르고 천둥으로 몸을 흔들어도
　그것은 사건의 현상일 뿐이고 그것으로 인한 아픔과 고통을 일으키고 아픔을 느끼는 이는 바로 나고
　　　　　그 진원지는 바로 내 마음입니다.

누가 잡고 마구 흔들어서

몸이 갈대처럼 흔들려도

마음은 안 흔들릴 수 있습니다.

마음이 흔들리지 않으면 내 전체가 동요되지 않고 고요하고 평화로운 것이지요. 마음의 근원을 항상 지켜보아야 합니다.

누가 마음을   어떤 것이 마음을   꽉 잡고 흔들고 있는가?
    그 마음의 속임수에 속아 얼마나 오랜 시간을 농락당하여 왔습니까?   파도와 물은 둘이 아니고 하나입니다.
        바람과 공기는 둘이 아니고   하나이고요.
바닷물의 표면에 불과한 파도가 아무리 높이 일어도 물이 흔들리지 않을 수 있습니다. 아무리 세찬 폭풍우가 몸을 휘감아도 전체 공기의 일부분에 지나지 않습니다.

충분하다
나 홀로

넘치는데
나 홀로
    ─ 「이 세상 더 필요한 것 무엇인가」

인간관계 - 좋은 인간관계가 많을수록 삶이 풍성하여지는 것에 대하여 부정하는 사람은 없지요. 하지만,
    어떠한 상호 간 이익 관계가 없이, 순수한 좋은 인간관계를 갖기는 그리 쉽지 않습니다. 세상이 그만큼 삭막하기 때문이지요. 어떠

한 직책에 있을 때는 그 직책을 기반으로 한 여러 이익계산을 해 보고, 그 직책 주위에 많은 사람이 머물게 됩니다. 그 사람들은 친구나 친지보다 더 잘해 줍니다. 하지만, 은퇴한다든지, 그 직책을 떠나면 그 직책을 보고 모였던 사람은 다 사라지지요. 연락도 끊어지고요.

교회도 마찬가지입니다. 평신도를 이용하여 봉사직의 최고인 꾸르실료 주간을 오래 한 친구가 주간을 그만두었을 때, 그 주위에 친분의 모습을 보였던 각 성당 간사를 비롯한 많은 꾸리실리스타들이 금세 물안개처럼 사라지는 것을 보았습니다. 개신교 친구들에게 물어보았더니 직책의 명칭만 차이가 날 뿐, '싸 – 한' 분위기는 다르지 않았습니다. 교회의 모임이 이러니 다른 사회의 모습이야 오죽하겠습니까.

그래서 사람들은 순수한 인간관계가 그리워진다고들 합니다. 참가하는 모임에서 시끄럽고 혼란한 이런저런 모습을 보시면, 조용히 신발의 먼지를 털고 등을 보이십시오. 시궁창 물 튀는 곳에서 맑은 물 안 나옵니다.

그 근처에 얼씬거릴수록 나의 인생만 지저분해집니다.
사람은 혼자, 올로 충분하고 넘칠 수 있어야 합니다.

홀로 있어도 외롭지 않고 홀로 있어도 넘치게 되면 내가 먼저 진솔한 사람이 됩니다. 그런 사람이 되었을 때 오히려 주위에 사람들이 오로지 진실한 사람들이 모여들게 됩니다.

내가 어떻게 되어도 나의 곁에 있어줄
끝까지 남아줄 그런 사람들 말입니다.

물 마실 땐	물 마시는 것	만
걸어갈 땐	걸어가는 것	만
책을 볼 땐	책 보는 것	만
말을 할 땐	말 하는 것	만
하늘 볼 땐	하늘 보는 것	+ 만

－「이 만만이 많아질수록
삶이 만만한 걸 아는 자(覺者)」

영어 공부하면서 수학 점수 생각하고   밥 먹으면서 화장실 생각하며   일하면서 놀 생각하고   놀면서 일 생각하며
운동하면서 쉴 생각하는 사람 –   이런 사람이 있을까요. 라고
막연히 생각하시나요?   많습니다.
정말 많은 사람이 이런 생활을 하고 있으면서
세상에서 되는 일이 없고 사는 것이 왜 이리 힘드냐고 합니다.
사람 사는 것 그리 피곤하지 않습니다.
인간 사는 것 그리 복잡하지도 않고요.

공부 할 때는 오로지 공부	만
일 할 때는 일에	만 All - in 하고
놀 때는 신나게 노는 것	만 하시며
사랑 할 때는 사랑	만 하여 보십시오.

만만을 얼마나 자주 많이 만드는가에 비례하여
인생살이가 만만해집니다.
삶을 즐겁게 만만하게 사는 자가
바로 깨달음에 이른 자 각자(覺者)입니다.

소리보다 빠른 것은 빛
빛보다 빠른 것은 생각

그 오랜 세월
더 빠른 생각으로
생각 잡으려는 수많은 사람 속
　　　　오로지 몇 사람
　　　　　맑은 이슬 위 기는 달팽이 보면서
나무 사이 새들 소리 들어가면서
생각들 확실히 거꾸로 잡아가는
　─「부처가 소수인 이유」

　소리의 속력, 음속은 340m/s 즉, 1초에 340m를 빠르기로 갖고요. 빛의 속도 광속은 300,000km/s 즉, 1초에 300,000km를 달려갑니다. 이러한 속도는 레이저광과 원자시계를 이용하여 정확히 측정되었지요. 1초에 지구를 7바퀴 반이나 도는 엄청난 빠르기입니다.

　그럼 사람의 생각의 속도는 얼마나 빠를까요? 측정하기가 쉽지 않을 것입니다. 불가에서는 찰나(刹那)라는 단위를 아주 짧은 시간 단위로 쓰지요. 찰나는 범어의 크샤나(Ksana)에서 비롯된 말로서, 차가운 바람 속 짧은 순간 바로 그 순간을 찰나라고 하지요. 약 0.013초(1/75초) 정도의 매우 빠른 시간을 말합니다.

　"이렇게 생각하는 찰나, 그딴 생각이 훅 ─ 들어와서" 이런 표현은 우리의 일상생활에 늘 있는 일이지요.

　그런데 생각은 지구의 이곳에서 저 끝을 가는 정도가 아니고, 수십 년 전의 Image까지 떠올리는 속도입니다. 빛의 속도보다 한참이나 빠른 속도이지요.

그것이 측정될까요? 이것은 차가운 기계를 이용하여 측정될 사항이 아니고, 체온 36.5도를 오가는 그 정도의 온도에서 재어야 하는, 인간 철학적 측정이 되어야 할 것입니다. 소리보다 빛보다 빠르게 이리 뛰고 저리 날아다니는 생각을 접으려, 역사적으로 많은 수도자가 오랜 시간을 통하여 엄청난 노력을 하여 왔습니다.

동물 발길마저 끊긴 동굴 속
간신히 움직이는 숨길 붙들고
무엇 구하다가 흙이 되었는가
구도자여
이리 뛰고 저리 날아다니는
생각 하나 잡으려고 그 많은
걸친 것 시간 인연 끊었는가
구도자여

─「그것 하나 얼으려 구도자여」

생각만 재어어면, 번민/괴로움/불행은 사라질 수가 있으니까요.
빠르게 가는 생각을 접어 붙들어 매기 위해서 선지자들은
소리 정도의 빠르기를, 새소리를 들어가며 숲속의 빛 속도를, 맑은
이슬 위로 서서히 기어가는 달팽이를 보면서

그렇게 거꾸로 거꾸로 모든 세상 만상을
연민의 눈동자로 지켜보았을 것입니다. 그러나 얼마나 많은
사람이 이렇게 생각 아니 사각을 잡아서 부처가 되었을까요? 원래
숫자가 적으니/ 그리 많지 않으니/극소수이니
성자이고 부처 아닙니까.

차가운 바람에
꽃잎 다 떨어진 나무

깊게 드리워진
그림자까지 흔들리네
　　－「바람의 수상한 정체」

4월 말입니다.
　세계 곳곳에서 이상기후를 호소합니다. 이곳 남가주는 특히 심하지 않나 싶습니다. 비도 별로 안 오고, 날씨도 맑으면서 더웠던 4월 말의 모습은 몇 년째 실종입니다. 실종신고를 내는 사람도 없고, 실종신고를 받아주는 곳도 없지요. 바람이 몹시 붑니다. 그것도 으스스하고 차디찬 바람입니다. 바람이 불어서 꽃나무의 잎들이 모두 떨어졌는지, 날씨가 차서 꽃잎들이 서로 부둥켜안고 있다가, 서로 힘이 빠져 더는 견디지 못하고 지고 말았는지, 기후 변화 앞에서는 답이 나오질 않습니다. - 노답　　　　　**찬바람은 무섭지요**.
　사람 사는 일에도 이 찬 바람이 닥치면 사람들은 대책 없이 떨어왔습니다. 그 떨림은 기억하고 싶지 않은 기억이기에, 잊히어 살고 싶은데 뻔뻔할 줄 아는 이에게는 가끔, 민감한 이에게는 자주 엄습(掩襲). 그야말로 '뜻하지 아니하는 사이에 습격'하여 사람들을 빨래 짜듯 쥐어짜며 괴롭힙니다.　　　　　　　　　**그림자. 무섭지요**.

이 그림자가 어쩌면 물체의 실체이지 않나.
웃고 있으나 웃지 않는 그림자.

손을 내밀고는 있으나 손을 뒤로 한 그림자.

안아 주고는 있으나 등을 돌리고 있는 그림자.
　　ㅡ「그림자」

이 무서운 그림자가 바람에 흔들립니다. 꽃들이 다 떨어져 슬퍼하는 나무에, 간신히 매달려 있는 나뭇잎들이 마구 흔들립니다.
여름 내내 달려 있기는 하여야 하는데 마냥 흔들립니다.
　　　　　　　　　　흔들리는 이파리들의 그림자.
그 무섭던　　무서운　　무서울　　**그림자마저 마구 흔들어 대는**
　　　　　　　　　　　　　　　　바람은 정말 무섭기만 합니다.
　　　　　　　　　아지만, 무섭게 느끼게 하는
　　　　나의 마음이 더 무서운 것을 알아야 무섭지 않습니다.

남들보다
저 깊은 가슴에
태양 물고 사는
고래 한 마리

등 밖으로
동양태고 신화
용으로 숨 몰아
파란 날들만
　　ㅡ「사막 하늘 나는 고래」

용

용은 하늘에도 있고 바다에도 있었습니다. 옛날에는 그렇게 많았나 봅니다. 옛날이야기 하면, 동양이나 서양이나 그저 용 이야기가 빠지면 Fantasy가 안 될 정도로요. 그런데 용이 나다녔을 때 고래도 있었습니다. 동화적으로나 연대기로 보고나요.

그 고래가 사막에, 그것도 고래가 사막에서 날아다닌다면 Extra Fantasy가 될 터인데 이런 동화가 있지는 않은 것 같네요.

매년, 11월에서 3월 정도까지 캘리포니아 회색 고래는 알래스카 남쪽 서식지에서 멕시코 바하(Baja), 따뜻한 해안 지대로 이동합니다. 이동하는 모습은 캘리포니아 해안가에서 쉽게 볼 수 있는데 새끼 고래들도 같이 이동하는 모습을 보고 있노라면

연대문명이 가소롭게 보이기까지 합니다.

캘리포니아 해안 지나는 고래 보네
아기고래 데리고 가는
가족 모두 등으로 숨 물줄기 뿜으며
바하로 가는 고래 보네
컴퓨터 인공지능 로켓 자율주행 차
모두 가소롭게 보이게
　　－「전설 신화로 나도 가네」

태양을 차갑게 품고 살아
등으로 숨 쉬는 고래

달을 뜨겁게 안고 살아서
정수리로 숨 쉬는 이
　　－「고래와 시인」

고래를 보고 있으면 '고래는 몸속에 태양을 품고 사는 것 아닌가.' 하는 생각이 듭니다. 등으로 물을 뿜어내면서 숨을 쉬는

것을 보면 '용도 저렇게 숨을 쉬었겠구나.'라고 추정이 되면서 '사막 위에서도 두 동물이 같이 날아다녔겠구나.' – 그저 회색 날은 없고 파란 날들만 있는. 그 시대에 살았더라면 나도 등으로 숨을 쉬면서 날아다닐 텐데 – 그저 파란 날들만 있는 태고에.

앞으로 숨을 쉬고 억지로 살아가니, 숨쉬기가 헉헉 벅찬 세상에 혹시나 고래 하며 등을 돌려 누워 보았더니 **역시나** 숨은 앞으로 쉬어 집니다.   ㅠㅠ

새벽이 좋다
모두 가사상태여서
홀로 깨어 있을 수 있고

낮에 못 보던

나는 생명체 걸리는
거미줄 이슬 앉아 보여
    ―「깨어 보이는 새벽이 좋다 :)」

빛이 보인다고 하기에는 아직 이른 그런 시간에 일어나는 사람하고 해가 이미 존재감을 드러내는 때에 일어나는 사람하고는 무엇이 다를까요?   일어나는 시간은 습관인데 일찍 일어나는 사람과 늦게 일어나는 사람과의 습관 차이.

새벽에 일어나 보면

늦게 일어나는 사람들이 못 보는

              못 듣는

        그것들을 확연히 느끼게 됩니다. 하나둘이 아니지요.

그 중의 하나가 거미줄입니다.

낮에는 보이지 않던 거미줄에 새벽이슬이 앉아 있는 것을 보면
우리 인간의 모습이 보입니다.

자기가 남들보다 더 잘나기 위해 남들은 걷는데 뛰는 사람들
남들은 뛰는데 나는 사람들

그 나는 사람들은 무엇을 위해 날개를 달았나요? 날파리/모기처럼
날다가 쓰레기를 쓰레기로 못 보고/남에 침을 꽂아 남의 피를 빨아
먹다가   **파리로**   **모기로**

결국은 보이지 않는 거미줄에 걸려 허우적대며

자기 생명을 일찍 내어주게 됩니다.

거미줄에 대롱대롱 매달려

땅에서   **낮게 기는 여러 벌레를 부러워**   하겠지요.

깨어 있는 사람이 되려면

새벽에 일어나는 습관이

얼마나 중요한지 깨달아야 합니다.

믿 는 이 등 빨대 꽂아
진액 수액 혈액 빨아대고
잘도 날아다니더니

마른 헛기침 무색하게
새벽 거미줄에 포박되어
기는 이 부러워하네
  ─「모기 인간 결국은」

붉은 석양빛 자락 슬쩍
상록수 비치네
전혀 안 보이던 거미줄
촘촘 그물망

언제부터 널려 있었나
어찌 보지 못해 왔을까
　―「석양빛에만 보이는 거미줄」

세상 온통 꽃이네
세상 향기 천지고
이런 세상 넓기만 하고
이런 세상 좋기만 하니
　―「그러다가 거미줄 걸린 나비」

　세상 물정 모르고, 세상 사람들 얼마나 무서운지 모르고
　세상에는 무한한 가능성이 널려 있다며 세상 살기가 너무 즐겁고
흥미진진하다고 생각하는 것은 아주 어릴 적 철들지 못한 아이들의
생각이지요.

검은 허공에 자기 투명 내장 뽑아
그물을 촘촘히 짜 본다

바람 걸려라 봄바람아 걸려들어라
말은 그래도 실제로는
　―「참 무서운 거미줄 세상」

꽃만 보고 꽃향기에 취해, 꽃 주위에는 선한 것만 있어 좋기만 하다고, 마음 놓고 날아다니던 예쁜 나비가 거미줄에 걸린 것을 보신 적이 있나요?

나비는 걸려서도, 여기에서 저기로 날아가려는 의지를 행사하는데, 그 의지가 묶여 버리고 꺾여 버립니다. 하늘로 나아가기는커녕 움직일 수가 없습니다. 조금씩은 움직이겠는데 이상하게도 **움직일수록 더 움직일 수가 없습니다**. 움찔도 못 하겠고 점점 몸이 조여집니다.

그런데 저기서 시커먼 발, 털 달린 발이 보입니다. 그 발이 한발 두발 앞으로 올수록 나비를 조여오던 줄이 출렁출렁합니다. 거미입니다. 거미는 나비에게 가까이 다가가서, 자기 몸 뒤에서 밧줄들을 꺼내 들고는 나비를 천천히 서서히 둘둘 말기 시작합니다. 나비는 이제 전혀 움직이지도 못하고, 시간이 흐를수록 허연 밧줄 속에 보이지 않게 됩니다.

차마 더는 볼 수가 없는 광경이었습니다. 어렸을 때 이런 광경을 보는 내내, 얼마나 긴장했던지 어깨가 딱딱해지고 말아 고생했었습니다. 그리 높지 않은 나무에 걸려 있는 나비에게, 저절로 나오는 아이의 한숨과 탄식이 들렸을 정도입니다. 너무도 섬뜩했습니다. 그 기억이 아직도 생생합니다.   나비는

눈이 나빠서 걸렸을까요? 아니면 거미의 위장이 우월했을까요?

전자는 내가 '순진의 껍질 속 무능 알맹이 자체'일 수도 있고

후자는 남을 속이고 사기 쳐서 나를 잡아먹으려는 무서운 나쁜 인간들 경우입니다.   살아 보니깐, 오래 살아 보니깐, 세상은 절대로 꽃 같지 않고, 향기롭지도 않은, 무서운 세상입니다.

나비 같은 젊은이들. 정신 바짝 차려야 합니다.
입으로는 미소지으면서 머리로는 세상 물정을 잘 파악해 나가야

내가 꽃이 되고 내 삶에서 향기를 피울 수 있습니다.

거미는 나를 잡아먹기 위해서 **자기 내장을 빼어 그물을 칠 정도로 절실**하기만 합니다. 그물 위에서 출렁대면서 무슨 연구를 했을까요? 거미는 겉으로는 **'너의를 괴롭이는 바람을 잡기 위해 그물을 치지'** 라고 할 정도로 교활합니다.

거미에게 잡혀서 먹히는 것은 어쩌면 도시 전체일지도 모릅니다. 도시 사람들은 그렇게 야금야금 매일 새벽에 하나둘 잡혀서 먹히고 있는 줄도 모르고   거미줄 사이를 아슬아슬하게.

신화 동쪽 하늘 빛나던
예쁜 별 하나
못된 돌 맞아 떨어진
번갯불에 맞아
이슬방울로 낙하하다가
걸리고 말았다
　　ー「그대 거미줄에 덜컥」

바람에 출렁이는 거미줄 보면
거꾸로 매달린 내가 보인다
동동 목까지 조여 목 타는
새벽 거미줄에 걸린 이슬방울
저 물방울 누구 위한 것인가
아니면 저마저도 걸려든
　　ー「마지막 목마름마저 걸려들었다」

뉘엿뉘엿 지는 석양빛이 들어설 때나 되어서 거미줄 촘촘히 쳐진 것을 보게 된다면, 이미 나는 수없이 그 끈끈이 그물에 걸려들었었습니다. 더 이상, **거미에게 잡혀서 먹이는 꽃이 되고,**
나비가 될 수는, 절대 없지 않습니까!

꽃은 왜 아름다운가

그 오랜 시간
까맣게 추운 밤 홀로 내내 흔들려 가며
간신히 꽃 되었기 때문이고

꽃은 왜 향기로운가

그렇게 피어놓고
나비 벌 찾아왔던 안 왔던 며칠 못되어
바람 속 돌아가기 때문인데
　　―「그대는 아름답고 향기로운가」

허리 굽히라
그대여

무릎 꿇으라
군중들

여기 만물의 알파요 오메가
제전 앞에

여기 하늘치고 오르는 향기
제단 앞에
　—「한 송이 들꽃 앞에 엎드리라」

꽃 좋아하시지요? 꽃향기도 너무 사랑하시고요?
　꽃을 보면 걸음을 멈추시고 감탄하시나요? 그래서 꽃에 가까이 가
서 허리 굽히고 무릎 꿇고 향기를 맡는 척 경배하시나요?
　들녘의 – 산길의 이름도 없고, 처음 보는 너무도 작은 꽃향기 앞에
엎드려서 　–　온몸으로 경이로움의 추앙과 찬양을 표시하시나요?
　그리고 그 찬란한 빛으로 세상을 환하게 하는 꽃을 향하여
　　　　　　　　　　이렇게 말씀하시나요?
　어떻게 그대는 그렇게 아름다우신가요?
　어쩌면 당신은 그다지 향기로우신가요?
　나도 아름답고 향기로워하고 싶은데 어찌해야 하나요? 라고요.
　　　　　　그대는 이미 아름답습니다. 향기롭고요.
　　　　　　그대는 이미 무릎 꿇고 허리 굽인 자입니다.
　그러니 – 아름다운 그대여.　　　이제 꽃처럼, 꽃향기처럼,
나비와 벌이 왔든 안 왔든, 자기 완전히 내려놓으시면 됩니다.
서서히 자연의 섭리대로, 내가 세상에서 어떤 것을 이루었던
아니던,　　　　**떠날 준비 아시면 되고요.**

허리 푹 숙이고
지났던 자리 또
응달 속 굵어진

왼쪽 발 천천히
뚝

오른 발 천천히
똑
그래야만 보이는
봄철 고사리 따기
　　— 「행복 찾기 101」

미국 워싱턴 주 교포들에게 봄 연례행사가 있습니다.

끝은 녹색을 띠고 있고 줄기는 약간 고동색을 띤 고사리 채취.

고사리는 육개장에 어울리며, 나물로도 빠질 수 없는 나물 중에 하나로 한국인들에게 사랑받는 음식 재료이기 때문에, 많은 한인이 산을 찾아 채취의 적기인 4월부터 6월 그리고 높은 산간 지역에는 7월까지 고사리를 땁니다.

고사리의 영문 표기는 bracken fern 또는 fiddle-head fern이고요. 워싱턴 지역의 고사리는 질이 좋아서, 미국 전 지역 한국 마켓에 납품은 물론이고 한국에도 수출한다고 전해 들었습니다. 이 고사리를 채취할 때는 신고하여야 하는 지역(국유림)도 있고, 하루 채취량도 한정되어 있어서 조심하여야 합니다. 시애틀 근교의 등산코스인 스노퀄미·베이커·대링턴 등지의 야산 지역은 한인들이 특히 선호하는 지역이지요.

　　　　　　이 고사리를 채취할 때는 당연히 **허리를 숙여야** 합니다.

빛이 잘 드는 지역에 자란 고사리보다는 **음지에서 자란 고사리가 더 맛도 있고 굵기도 좋고 부드럽습니다. 사람 삶처럼 말이지요.**

고사리 채취에는 요령/Rule이 있습니다. 깊고도 길도 없는 산에서

　　첫째, 자세이 찬찬이 잘 보아야 하고요.

　　　둘째, 발걸음을 잘해야 합니다.

빨리 발걸음을 옮기면, 고사리가 보이질 않지요. 한발 한발 옮길

때마다 그 발걸음에 마음을 싣는

〈걷기 명상〉처럼 하여야 **고사리가 보입니다.**

고사리는 딸 때 소리가 명쾌합니다. 〈똑〉 소리가 나지요.

똑 똑　　　〈똑똑하게〉 말이지요.

고사리가 안 보이면,　　**왔던 곳을 다시 돌아가 보면**

고사리가 보이기 마련입니다.

〈행복 찾기〉하고 어쩌면 이렇게 똑같은 줄 모르겠습니다.

행복은 멀리 있지 않습니다. 행복은 바로 곁에 있고요.

행복이 안 보이면 왔던 길을 다시 돌아가 자세이 보면 보입니다.

고사리가 수풀 속에 잘 안 보였듯이　–　행복은 사람이

⊙ **와 급 교 탐 집** –

와내고　급하며　교만하고　탐욕으로　집착으로

눈이 가려져 보지 못했습니다.

고사리를 집중하여 딸 때도 조심해야 할 것이 있습니다. 뱀입니다.

뱀은 내가 잘하고 있다고, 꼬드기며 접근하여 '콱' 물고 독을 퍼지게 하지요. 수행도 고사리 따기와 같습니다. 정신 집중하여야 하는데, 뱀 같은 잡념이 들어와 꼬드기고, 물면서 교만의 독을 전신에 퍼지게 해서, 수행 중 방심은 절대 안 됩니다.

한순간에 무너질 수도 있어서 어느 정도 궤도에 올라, 바람이 세게 불어도 조금도 움직이지 않는 촛불처럼 될 때까지　**용맹 정진** 하여야 하지요.

또한 고사리를 딸 때 허리를 숙이는 것은 진정성 있게 남을 섬기고 진심으로 겸손하여야 세상 이치가 보인다는 상징성이 있습니다.

한발 한발　　**행복을 순간순간　★ 똑　★ 똑 따면서**

하루하루 사는 것이 사람으로서 최고의 삶. 그 자체이고요, 봄을 잘 살아야 여름을 잘 살고, 그래야 가을, 겨울도 행복하게 됩니다.

꼬불꼬불 그늘진 곳
허리 무릎 굽히고서
한발 한발을 천천히

못 찾는다면 다시 뒤
바로 곁에 찾아보고
뚝 뚝 소리 나게 따
　 ―「고사리 따기 행복 따기」

봄을 마감하는 시기에 고사리 따러 한 번 가보시지요.
　　　　행복을 묵상하시면서요.

깊은 산골 야생화 곁
아침나절 뿌리내리듯 거닐다가

허름한 앞뜰 봄꽃 옆
노을 검어 질 때까지 있다 보니
　 ―「노랑나비 한 마리 정수리에 앉아 버리네」

야생화도 이름이 있지요. 그러나 그 이름들은 그들의 이름이 아닙
니다. 인간들이 반짝이지 못하는 눈동자로 보고는, 함부로 인간들
편하게 붙인 명사일 따름입니다. 그들의 이름은 아마도 ― 우주 1,
우주 2, 우주 3일 것입니다.
　야생 꽃 하나하나가 태초의 산이고 신화의 들녘이지요. 이런 때 저
런 때로 찌든 사람들의 관점에서 벗어나는 참으로 경이롭고
　　　　찬란하기만 한 야생 꽃들을 보고 있노라면

누런 아픈 시간이, 그 자리에서 파랗게 변색하여 증발합니다.

　　초침, 분침, 시침이 공중 분해되고 멈춰진 자리에

　　　예쁜 공룡과 아주 작은 고래들이 꽃 사이로 날아다니지요.

이렇게 나무 울창한 산속에서, **시간이 아닌 시간** 을 야생 꽃들과 함께 지내다가, 시인의 70년 넘은 허름한 나무판자 집 앞 뜰에 날짜에 따라 매년 어김없이 피어나는 꽃들을 태양이 사람들 달구는 것을 그만두고 까맣게 넘어갈 때까지 보고 있노라면

　　발바닥에서 뿌리가 날 정도로

　　　마음과 목숨과 뜻을 다하여 정성으로 꽃 보며 걷다보면,

몸에서 꽃향기가 납니다.　　　꽃이 되고 맙니다.

　　주위가 어둑하지만　　　정수리로 나비가 날아들고

　　　겨드랑이 밑으로　　나비 날개가 돋아나기 시작합니다.

　　안 믿어지시지요?　　　믿는 자만이 구원받습니다.

새벽 들에 나가 야생화 보면서

넋을 내어주다가

노을 까맣게 되어서나 돌아오니

발바닥에서 뿌리 솟는다

머리 정수리 이파리까지

　　─「나비 향기 찾아서 나에게로」

사람의 간절한 마음으로는　무엇이든지 될 수가 있고,

무엇이든지 이루고 만들 수 있으며

어디든지 갈 수가 있음을 경험하여 보신 분들은 모두 동감하십니다.

나의 살던 고향은 온 동네 복숭아꽃 만발
　　　복사골 심곡리
봄이면 언 땅 가는 늙은 소 시시한 발자국
여름이면 향기 그윽 소소한 복숭아 지천에
가을이면 수수한 벼이삭 털이 소리 정겹고
겨울 되면 사소한 군고구마 따사하기만 한
　ー「내 고향은 ⅩⅩ ⅩⅩ ⅩⅩ 소사」

　두 눈 번쩍거리게 화려한 것도 비싼 것. 입안을 깜짝 놀랍게 맛있는 것도 비싼 거. 귀가 번쩍 들리게 신나는 것도 돈 많이 주어야 하는 거. 여름에는 시원하게 겨울에는 따스하게 하는 옷도 제법 비싼 것.
　이런 것이 하나도 존재하지 않았던 것이, 어렸을 때 고향의 모습입니다. 당시엔 온 동네가 초가집이고 동네 그 제일 넓은 좁은 길 하나가 비포장도로이니, 비가 조금만 와도 '질퍽 질척'하였지요, 장마 때는 온 동네가 물난리였습니다. 눈에 보이는 원미산은 민둥산이고, 작은 시냇물들은 그저 농수로 정도였고요.
　먹거리가 어디 제대로 있었나요. 초등학교에서 옥수수죽을 나누어 주고, 미군들이 트럭을 타고 가다가, 아이들에게 초콜릿을 던져 주던 시대였지요. 아이들은 가방이 없어서, 책을 보자기에 싸서 어깨에 메고 다녔습니다.
　　　　그러나, 지금 이 지경 나이가 되어 뒤를 돌아보니
　　　　그때가 내 일생에서 제일 행복했던 시기였습니다.
　봄에는, 온 동네에 복사꽃이 만발하였습니다. 그 사이사이 밭에서는 늙으신 할아버지가 그 할아버지와 비슷하게 생긴 소를 몰고, 언 땅을 힘들게 갈아엎고 계셨고요.
　여름에는, 시장 입구에서부터 출구까지 아줌마들이 큰 바구니에 복숭아를 쌓아놓고 팔았지요. 복숭아의 그 달콤한 향기가 온 동네에 가득하였습니다. 잘 익은 복숭아에서는 털이 날려서 아이들 몸이 '근질근질'하였었고요.

가을에는, 누렇게 익은 벼가 사람들을 안심시켰습니다. 올해도 밥은 먹을 수는 있겠다고 하는 안도감이었지요. 동네 곳곳에서 발로 탈곡기를 돌리며 벼를 수확하였습니다.

겨울에는, 엄청 추웠습니다. 집에서 학교까지 가는데 왜 그리도 먼지요. 아이들은 추위에 코를 질질 흘리고, 많은 아이가 동상으로 고생하였습니다. 그래도 쌀겨를 넣어서 밥을 하는 아궁이 한쪽에 고구마를 넣어서 구워 먹곤 행복해 했습니다. 친가, 외가 모두 종로구라 형들 셋은 모두 서울에서 자랐지만, 막내인 저만 다행히도, 소사에서 태어났습니다.   –   얼마나 감사한 일인지요.

소사ㅅㅅ(素砂)는 사소ㅅㅅ한 일로 가득한 곳이었습니다.

봄, 여름, 가을, 겨울 일 년 내내 **소소하고, 수수하며, 시시한 일**로 가득하였습니다. 그러니 당연히 행복하지요.

현대 인간들은 큰 착각 속에 일생을 살아갑니다.
그리고, 모르는 채로 그냥 그렇게 죽고 맙니다.
무엇이 불행이고, 어떻게 사는 것이 행복인지.
산 모양. ∧∧∧∧∧∧∧∧ **아닌 것은 불행.**
같이 웃는 모습. ∧∧∧∧∧∧∧∧ **만이 행복.**

소소 글자도 ㅅㅅ 웃는 모습이고, 수수 글자도 ㅅㅅ 웃고 있으며, 시시 글자도 환하게 ㅅㅅ 미소 짓는 모습입니다. 사소 글자도 ㅅㅅ 웃고, 소사 글자도 ㅅㅅ 활짝 웃고 있습니다.

비행시간 13시간, 10,300km 미국 멀리서
고향 소사를 그리워할 수 있다는 것이 얼마나 다행인지요.

하늘이 아름다운 것은
어둠 속에서도 반짝여주는 별
수시로 변하는 구름 때문이고

땅이 아름답다는 것은
찬비 맞으며 자라는 나무들
바람에 흔들리는 꽃 때문인데
　－「사람이 아름답지 않은 이유」

나무들이 없으면 세상은 멸망합니다. 꽃들이 없어도 세상은 전멸합니다. 꽃과 나무들이 이 지구의 중심에 모든 만물의 $A\alpha$(알파)에 있는 셈입니다. 그런 생명의 원천 나무들과 꽃들은 추운 밤 내내 떨었습니다. 바람에 몸을 내어 주면서 흔들리며 뿌리를 키워 나갔습니다. **흔들리는 것들은 다 아름답기에   지금 흔들리고 있는 당신**

　　　　비틀거리는 바로 당신은   아름답습니다.

　흔들리는 것들은 다 살아 있기에   당신도 살아갑니다.

　세상은 분명 침침하고 칙칙하게 어둡지만

　　　　　　　　　　아름답습니다.   당신이 있기에.

　별보다 아름다운 당신. 별빛처럼 비틀거리게 아른거리는 당신. 정말 아름답습니다.   당신이 있어 이 세상은 반짝거립니다.

　바로 당신이 계셔서 이 땅은 꽃보다 아름답고 향기롭습니다.

그대가 꽃 피우질 못하는 이유는
그대가 향기롭지 못하는 이유는
　　　　　　　딱 하나라네

　－「절박(切迫)」

당신은 왜   꽃이 되지 못합니까?

　왜 향기롭지 않으며 모든 일이 꼬이기만 하면서　희망이라는 마지막 기차마저, 기적 소리도 없이 가물거리기만 합니까? 이유는 딱 하나.

　마음 자세가 절박하지 않기 때문입니다. 그저 미박하고, 그때그때 잠시 잠시 급박하니 어찌 탐스러운 열매가 맺어질 수가 있을까요?

절박함에만 찾아드는 열매　　　미(微)박 〈 급박 〈 절박

기뻐하고 행복하여라
볼 줄 아는 이들
꽃 한 송이 피우기 위해 꽃나무 얼마나 떨었는지 보는

기뻐하며 행복하여라
무릎 꿇는 이들
꽃향기 깊이 맞이하기 위해서 허리 굽히고 무릎 꿇는

기뻐하고 행복하여라
소리 듣는 이들
모진 바람 앞 떨어지지 않다가 때 되어 스스로 떨어지는

기뻐하며 행복하여라
느끼고 있는 이들
피어 있을 때보다 땅에 떨어져 더 아름다운 꽃잎 느끼는
　─「진희(眞禧) 4단」

마태오 5, 3-10(루카 6, 20-23)에 있는 진복팔단에 있는 내용을 꽃을 보면서 묵상하여 보았습니다.
얼마나 많은 사람이 꽃을 보면서 꽃을 진정으로 알고 있을까?

봄 천지가 꽃이라
꽃송이 송이 피우기 위해
나뭇가지 천지가 매일 흔들렸으며
나무뿌리 천지가 밤마다 얼었거늘
사람 천지면 뭐하나
꽃 같은 사람 1도 안 보이고
꽃향기 1 나는 친구 곁에 하나 없고
봄바람 속 미세먼지만 가득하다니
　－「천지가 꽃이고 천지가 미세먼지」

얼마나 많은 봄 상춘객들이
　　　　　꽃 사진만 찍고 꽃향기는 맞이하지 않을까.

얼마나 많은 젊은이가　　꽃의 꽃. － 향기 맡기 위해서는
　　　　삶의 향기 느끼기 위해서는 남 섬기려,
　　　　허리 굽히고 무릎 꿇어야 함을 알고 있을까.

얼마나 많은 노인이　　꽃잎 하나 떨어트리는 것은
　　　　바람이 아니고 꽃나무 의지임을 알고 있을까.
　　　　꽃잎이 나무에 붙어 있는 것보단 낮고 더러운 땅
　　　　에 떨어져 있을 때 아름답다는 것을 알고
　　　　그렇게 여생을 살고 싶어할까.

얼마나 많은 신앙인이　생각 말고 느끼는 것이

- 시각적으로 Visualize하는 것이

흑백보다는 총천연색 Colorful하게

과학적/실천적 수련이라는 것을 알고 있을까.

진정한 상춘객도 별로 안 보이고,   젊은이들도 잘 안 보이며,

노인도 신앙인도 별로 안 보입니다.

그래서 **진실로 진정으로 기뻐하고 행복안 사람은 얼마 안 되나** 봅니다.

* 백 미터는 족히 되는 낭떠러지

내려다보면 *연기 연기* 아찔한 그곳

바윗돌마져 잘근잘근 씹어서 모래로 만들어 버린 파도 가 넘실대고

등 뒤로는 언제나 나의 기대와는 정반대였던 배신

의 따가운 눈총 기억들이 쉬지 않고 칼을 들이댑니다.

숨 쉬는 것마져도 몰아쉬어야 아는, 절대로 만만치 않은 이

민 생활. 그런 이민 생활이, '으-악-' 절벽까지 있지요.

그런 모습의 절벽에 매달려 피는 꽃들이 있습니다. 비가 안 오니,

꽃이 피지 않을 것 같은데, 꽃은 매년 반드시 피어납니다. 일주일도

안 돼서, 누런 바닷바람에 공중산화하고 말 운명이지만

그래도 한 번도 약속을 어기지 않고 피어납니다.

반 발짝 밀리면 아득한

낭떠러지

저 밑은

잠시도 쉬지 않고 덮친

까만 파도

등 뒤론
배신의 칼바람 닥치며
재촉하나

매달려 피었네
아직도 피었네
　　－「나 절벽 꽃」

매년 피기 시작할 때부터 이들이 질 때까지 매일 찾아갑니다.
나를 보러 갑니다.
한 발짝은커녕 반 발짝만 헛디뎌도 삶이 끝나고 마는 절박했던 이민 생활. 절벽에서 떨어지다가 중간에 걸려서 간신히 숨이 붙어 있다고 해도 얼마 못 버티고 sooner or later 낭떠러지로 떨어지고 잠시도 쉬지 않고 덮치는 파도와 칼바람에 허덕거리며 몰아쉬는
　　　　마지막 숨길마저도 내어 주어야 하는.
그렇습니다. 나는 절벽 꽃입니다.　　당신도 절벽 꽃이고요.
　　　얼마 안 있으면 흔적도 없이 사라지고 마는.
　　그러나 나는 피었습니다.　　당신도 찬란히 피어 있고요.
　　　그렇습니다. 우리는 절벽 꽃입니다.

지금, 이 순간은 피어 있는
일본 사람들은 '절벽 위의 꽃(高嶺の花)'이라는 표현을, 볼 수는 있으나 손에 쥘 수 없는 것을 이야기할 때 씁니다. 하지만, 절벽에 대롱대롱 매달려서도 찬란하게 핀 '절벽 꽃'은 그 이상의 훨씬 고매한 뜻이 있지요.

대롱대롱 절체절명 절벽 매달리다
아슬아슬 며칠도 못 버티어 내고는
한 줌 흙먼지 되어 칼바람 잘려 날릴

절벽 꽃들이 올해도 피었네
왜 피었을까 곧 사라질 것들
　―「절벽 꽃 절벽 인간」

한 발짝도 앞으로 못 가고
반 발짝도 뒤로는 못 가는

파도 덮치는 아득한 절벽
아래는 뾰족 바위들 바닥
떨어지다 겨우 매달린 꽃씨

바위 사이 작은 몸 감추고
칼 바닷바람 몸으로 견뎌
꽃 피운다 올해도 내년도
　―「절벽 꽃 누굴 보라고 피는가」

그대
포기하지 말라고
틀리지 않았다고
세상 별거 아니라고
　―「절벽 꽃이 누구에게」

절벽 꽃은 보는 사람 하나하나에 용기'와 '희망'을 주는 이런 말을 합니다.

"포기하지 마세요.　　　　　사람 사는 것 별거 아닙니다."

"특별한 의미가 있는 게 아니랍니다." "당신에게 잘못은 없습니다."

"틀린 것도 없고요."

저는 올해도 피었고

내년에도, 그 사람 다음 해에도, 영원이 피어날 것입니다.

아름다운 그대와 함께.

빨간 꽃
노란 꽃
파란 꽃
갑갑한 꽃병 속에

사흘 지나
이 세상 똑같은
쓰레기통 속

더 악취 나고 말
그 꽃들
　　― 「자르지 말고 섞지 말아야 할 그 꽃들」

파란향기나는꽃하나꽃들그리고꽃셋그옆에빨간향기나는꽃넷
꽃다섯꽃여섯바로옆에그사이를비집고노란향기나는꽃하나둘
셋넷다섯그렇게꽃들이목이잘려허리가잘려아무렇게나꽂아지
어모가지마저담담하게조여진물병에강제로서로부둥켜안고등
지어업고분마다시간마다썩어가는물속에서슬프게아주슬프게

272

죽어가고있는데가해자인간들은그런만행이아름답다며그좁고
도좁은안목을부끄러운줄도모르고긴글도쓰고시로쓰고그런다
어디이뿐인가인간들이태어났다고학교에들어갔다고학교에서
좋은성적받았다고생일이라고사랑한다고아프지말라고죽어서
천당극락낙원가라고다시말해간단히결론적으로말해서인간들
은태어나서부터자라고죽으면서까지도우리들꽃모가지와허리
를친다결국은우리는쓰레기통에우리하고멀기만한악취로버무
려진다우리가쓰레기인가인간이쓰레기이지쓰레기들아악취버
무림속인간들쓰레기들아제발우리그만찾아다오너희더러운발
길로

　　　─「시 제목이다 : 꽃들의철천지원수인간들」

　이것이 산문시가 될 리가 없겠지요. 시를 조금 시험적으로 써 보
았습니다. 하지만, 아무리 시험적 성격을 띤 시라고 해도 위의 글을
보고 있으면 가슴이 갑갑하기만 합니다. 시를 형식상으로 분류하면,

　1. 정형시
　한국의 시조, 중국의 한시, 일본의 하이꾸, 유럽의 작은 노래라는
뜻의 소네트(Sonnet)가 있는데요. 일정한 형식에 맞추어서 쓴 시를
말합니다.
　2. 자유시
　정형시의 일정한 틀을 벗어나서 자유롭게 쓴 시를 일컫습니다.
　3. 산문시
　산문처럼 쓴 시를 말합니다. 시의 한 줄 한 줄인 시행의 구분 없이
시에서 한 줄 띄어 쓴 한 덩이인, 연 단위로 표현을 한 시이지요.
　이렇게 세 종류로 나누어지지만,

연대시라며, 유행이라며
시들이 점점 길어지고, 형식도 폭파되고 있지만
시는 역시 짧고 간결하여야 한다.   는 마음을 떨칠 수가 없습니다.

꽃의 측면에서 보면 인간이 원수 정도 됩니다. 인간종이 꽃 종에게 하는 일이라고는 결국은 목을 자르고 허리를 치는 일뿐입니다. 그런 만행을 자행하면서, 꽃들에게 시도 쓰고 찬미도 하며, 향기가 어떻고 색깔이 저렇고 하지요.

인간이 태어나서부터 죽을 때까지 이런 짓을 계속합니다. 인간이 태어났다고, 백일이라고, 돌이라고, 매년 생일이라고, 발렌타인, 입학, 졸업, 취직, 승진 그러다가 아프다고, 죽었다고, 죽어서도 천당 극락 가라고. 끊임없이 꽃들을 잘라 냅니다. 이런 답답한 현상을 시로 표현한다면 아마도 시의 내용도, 전개 모양도 갑갑해야 할 것입니다. 보기만 해도 가슴이 '턱턱' 막히게 말이지요.

제법 졸리게 긴 봄 내내
방긋방긋 웃어대던 꽃들의 운명

보이지 말라 깊어진 산
그 속 내내 울어대는 새들 운명
　―「꽃도 새도 인간도 같은 운명」

인간들은 사람 살기가 편안한 날이 별로 없다고 합니다. 특히, 노인들에게 물어보면 고개를 '휘이 휘이' 가로저으며, 지긋지긋했던 지난날의 자기 삶을 떠올립니다. '사는 것은 고통'이라고 단적으로 정의하면서 말이지요.

그러면 정말 사람 사는 일이 모두 고난과 고통으로만 되어 있을까요? 사람에 따라 다르겠으나, 한 달에 한 번 정도로, 새로운 고통이 꼬박꼬박 찾아 주는 사람은 많지 않을 것입니다. 이렇게 험한 예도 있다고 해도, 3% 정도가 안 될 것입니다. 개인에게 닥치는 사건과 사고가 삶의 3% 정도라고 치면, 97%는 그런대로 괜찮던가, 견딜 만 해야 하는데 '체감 고통지수'는 언제나 100% 고통의 시간입니다.

왜 그럴까요? 사건/사고 그 Fact보다는, 그것을 해석하는 방식이, 문제가 되기 때문입니다.

새를 들어 예를 들면,

'우리를 보러 오지 마세요. 숲속 우리는 당신들 보기 싫어요.'라며 깊어지고 우거진 산속에서, 수많은 새들이 각자 소리를 냅니다.

이 소리를 서양에서는 'bird singing 새들이 노래한다.' 하고 동양에서는 새들이 운다고 하지요.

사람들을 피곤하게 만드는 사람들이, 잘 쓰는 말 중에 '적극적 사고방식'이 있습니다. 구시대 유물 정도 됩니다. 이 말에 속아 인생 험하게 헉헉거리며 산 사람들 엄청나게 많지요. 돈이 제일이고 시간을 아껴서 몸이 오래된 떡처럼 굳어질 때까지 일 열심히 일해야 부가 축적된다며, 은혜를 받는다며 '사람의 고귀한 평온'을 파괴하였던 저급한 말입니다.

'새들이 왜 우느냐? 새들이 노래하지.'이렇게 해석을 하라는 것이지요. 이것이 적극적 사고방식이라는 것입니다.

birds are chirping 새는 그냥 자기들의 언어로 '짹짹 지저귐 소통'하는 것입니다. 자기 종족 보존과 자기영역을 알리는 소리가 바로 Fact이지요.

더 이상 'Fact를 속이는 말장난'에 휘둘리면 안 됩니다.

Fact는

1. 3%도 안 되는—어쩌면 1% 정도의 사건/사고에(그 파괴력이 크다고 해도) 97%의 나의 삶이 항상 휘둘리면 안 된다는 것입니다. 즉, 3% 일에 부정적 해석과 과대 해석으로 고통을 증폭시켜 나의 몸과 마음 100%를 구렁텅이 속에서 헤어나지 못하게 할 것인가? 아니면 Fact를 정확히 보고

'어차피 내가 겪어내어야 하고, 결국은 이것도 나에게서 지나가고 말, 이 일'을 어떻게 냉철히 극복할 것인가? 하는 태도가 삶의 질을 결정합니다.

우는 곳에 서성이지도 말고, 거짓 웃음 자라는 곳에 얼쩡거리지도 말며 그저 지저귀는 Fact에 두 발을 단단히 하고 서 있어야 하는 것이지요.

2. 항상 미소 짓고 있는 것 같은 꽃이나

3. 항상 갑질의 위치에 있어 좋아 보이는 인간들 그리고 숲속 새들의 운명   그리고 이 모든 것을 묘사하는 시의 운명도

따지고 보면, 거기서 거기입니다.

삶은   **그저 그런 시간 그리고 약간의 즐거운 시간으로 된 97%의 원 재료와 3%의 쓰고 달고 떫기도 하며 짠 양념의 시간이 어우러져**

맛깔나게   됩니다.

시인은 지금도 한 끼 식사 준비다
95%의 그저 그런 식재료
2%의 맛있는 재료
3%의 쓰고 떫고 짠 양념으로
  ─「삶의 요소」

시인은 오늘도 하루 세끼 예불이다
95%의 그저 그런 식재료
2%의 맛있는 재료
3%의 쓰고 떫고 짠 양념
시퍼런 칼날 휘두르며 자르고 찢고
뜨거운 프라이팬 돌리고
팔 팔 끓는 물 넣고
더러운 설거지까지
　　－「삶과 쿠킹」

폭포를 보네
절벽 칼바위에 부딪히어 몸 날리는

폭포를 보네
절벽에 부딪힐수록 웅장하여지는
　　－「폭포를 보네 그대를 보네」

절벽에 부딪힐수록 아름다운 폭포들
**　　절벽에 부딪힐수록 아름다운 사람들**

꽃잎 하나에는 쓰디쓴 고통의 역사가 담겨있다
얼음 속 모진 추위 태양 아래 목마름도 모자라
그 긴 뿌리까지 흔드는 태풍과 폭우의 고난들
　　－「가득한 흑역사 그래서 꽃」

씨앗 속에는
그 작은 우주 속에는
태초의 불 물 바람 추위

꽃 떨군 곳
생채기에 열매 씨앗
그대 상처에서는 무엇이
　─「생채기 그 모든 것의 근원」

봄 떠나가네요
꽃이 지니 꿈도 희망도 가고요

나 사라집니다
꽃 떨어진 자리 씨앗 열리건만
　─「씨앗 속 못 보는 사람」

봄꽃들 떨어졌다고 봄 가는가
여름 꽃 핀다고 여름 오는가

단풍 꽃이 피어도 봄이고
하얀 눈꽃 피어도 봄이니
　─「바보야 문제는 마음 꽃」

오월 말 한라 산철쭉 진다
봄이 몰락했다 하는가

278

오월 말 채송화 피어오른다
여름 봉기한다 하는가
　　―「마음 그래 바로 거기다」

누가 혀의 날 세우며 말하였습니다. 누군 마음의 날 세워 말하였습니다. 봄이 갔으니, 꽃도 간 것이고, 나도 간다고.

　　봄이 가던, 꽃이 지던, 나는 그대로 부처이니.
꽃잎이 떨어진 자리에 씨앗이 맺히지요. 열매도 맺힙니다.

그대는 열매가 향기롭다 맛있다 한다
생채기 자리에 난
그대는 씨앗 속에 내일 기약 있다 하고
상처 깊은 곳에 난
　　―「고통의 신비」

씨앗이 축구공만 한 것이 있습니다. 코코야자 씨앗이지요. 완전히 익을 때까지 10년이 걸리니 이 정도로 크게 되나 봅니다. 지구촌 씨앗 중에 제일 크고요.
　존재하는 씨앗 중에 제일 작은 것은 '에비비틱란과 우란'입니다. 현미경으로 보아야 보일 정도이지요. 약 1g의 무게가 되려면 씨앗이 110만 개나 모아야 한다니 얼마나 작은지 짐작이 갑니다.

씨앗 속에는 신화가 거친 숨을 쉬고 있다
용암 튀어 오르는 화산 불덩이
땅 꺼지고 뒤집고 뒤흔드는 지진

살아 움직이는 것 모두 쓸어 가는 쓰나미
난무하는

씨앗 속에는 역사 헛기침 그치지 않는다
악마 삼지창 들고 달려들고
매달렸던 이 등에 칼 박아놓으며
하이에나 희망 쪼가리 발기발기 찢는데
난 거기에
　　　—「까만 씨앗 속 악몽」

가장 작은 씨가 큰 나무가 되는 상징으로 '겨자씨'를 많이들 말하
지요. 성서에서도 이 겨자씨 비유가 등장하고요. 겨자씨보다는 약간
크지만 그래도 작은 씨 중의 하나인 채송화 씨앗.

까맣고 작은 채송화 씨앗
돌밭에 뿌리는 노인

시들어버린 꿈 한 조각을
눈물로 뿌리는 청년
　　　—「청년과 노인 씨앗」

채송화(菜松花)는 나팔꽃, 봉선화, 분꽃과 함께 시골 고향의 추억을
한꺼번에 불러오는 힘을 가진 꽃입니다. 채송화는 봄의 꽃들이 '하늘
하늘'하며 하늘로 먼지 되어 사라진 후에, 사람들의 헛헛한 감정을
달래주려 한여름에 피지요.

점 3미리 까만 돌 같은 씨앗들
돌 가시 만발한 밭에 뿌려지네
얼마나 살아남을까 아찔한 희망
　　―「채송화 씨와 청년들」

뿌려라
점 삼 미리 조각 꿈 희망들
뿌려라
눈물 마르면 더 진한 눈물을
　　―「채송화 청년들」

　화려한 잎은, 햇빛이 가늘어지면 오그라듭니다. 씨앗은 0.3m 정도로 작고, 까맣습니다. 마당의 돌 사이에서도 잘 자라지요. 바람에 잘 견디기도 하고요. 줄기를 툭툭 잘라서 땅에 꽂아도 금세 뿌리를 내고 꽃을 피우기에 '강한 생명력'의 상징이기도 합니다. 꽃의 생명은 짧지만 쉬지 않고 꽃을 번갈아 피어 나가기에
　　현대 생활에 헉헉 ‒ 지친 모두에게 희망을 전달하지요.
　요사이, 청년들이 많이 힘들어하는 모습을 쉽게 목격합니다. 청년들의 눈동자에서 희망의 푸르름이 사라져 간다는 것은 인류가 몰락한다는 것입니다.
　　　　　　　청춘들이 채송와꽃을 사랑했으면　좋겠습니다
　　　　　　꽃씨를 묵상아면서.

못생기고 까맣고 돌 같은
죽어 보이나 죽지 않은
무엇 기다리는 돌부처인가

281

버린 것들은 피려는가
　―「씨앗 속 꽃을 보는 자」

고향 어릴 적 추억
안개같이 떠오르게 하는 것은
얼마나 경이로운가

햇빛 가늘어지면
금세 몸 오므리다 까만 씨로
올해 이쯤 한다며

거친 땅 고르고는
독한 바람 없이 피지 않으니
얼마나 경이로운가
　―「얼마나 경이로운가 채송화」

그대여 파란 그대여
얼마나 수고가 많았는가

무슨 각오 있었길래
꽃 진 자리 수백 씨앗이

무슨 수고 안아가며
무엇들을 버려 갔었길래
　―「그 작은 채송화 씨에는 무슨 꿈이」

작은 까만 돌같이 하고는
햇빛 물 바람 온도 영양을
끊어내고 무엇을 기다리나
죽은 척하면서

화려한 플라스틱 꽃 모양
온갖 케미칼 온몸에 두루
발라가며 무엇을 기다리나
죽어가면서도
　－「씨앗과 인간」

까맣고 볼품없는 작은 쭈굴
왜 그리 되었나
　　　　　그 깊은 곳에는
　　　　　찬란한 꽃향기
　　　　　그윽한 이파리
　　　　　퇴색한 단풍들
　　　　　낯선 서릿발들
　　　　　　　　　－「씨앗 속 당신」

무엇에 상처받아
그리 까맣게 쪼그라들었니

그 깊어진 침묵은
가슴 속 얼마나 깊은 설움

무엇을 하려는가
다시 그 돌밭에 뿌려지고선
　　―「채송화꽃은 돌밭에서도 피고 또 피고」

손으로 끝없이 헤쳐내도 그대로 까맣기만 한 어둠 속에서
쫓아오는 승냥이 떼들을 피하다가 들녘으로 몰린 사람 하나
　그 황량한 들판에 홀로 도망을 치며 옷가지들은 모두 날카
로운 나무 가시들에 찢기었고 온몸 떨리는 추위에 던져진다
　아무리 소리를 쳐 보아도 도와주려는 사람은 없고 대신 조
롱과 천대 그리고 멸시가 더욱 설움을 복받치게 하는 나날
　　　―「채송화꽃 씨앗에 숨고 싶다」

채송화 씨 같구나.
작고도 작은
채송화 씨 같구나.
까맣게 쫄은
하지만
채송화 씨 같으니
깊은 침묵 속에 기다리리.
채송화 씨 같으니
다시 살아낸 후 피워지리.
땀 흥건해 손에 쥐었으나
허전하기만 한 그대여
풍성하게 풍요롭다고 하나
빈곤하기 짝이 없고
그리 마시고 먹어대는데

허기지고 목이 마르며
수많은 이 가운데 있는데
더욱 고독해지는데
　　─「봄이 없는 그대」

봄꽃의 향기에 취했지만, 취기가 사라질 때쯤 봄은 여름이 안아 줍니다.　　가을은 여름을　　　겨울은 가을을 폭 안아 주듯이.
　그래서 봄이 가도 봄의 마음은 여름 속에 있습니다.　언제나 마음 속에　　깊은 마음속에　꽃을/야생 꽃을 마음껏 피우고 살아가세요.　　항상 마음속에/삶 속에　향기가 나와 주위를 향기롭게 할 것입니다.

어 ─ 하다가 보니, 봄이 왔네
어 ─ 또 하다가 봄이 갈까봐
　　─「겁나서 봄꽃 되다」

　4년 차 Pandemic입니다. 시간의 비밀을 알기에, 시간이 빨리 가는 것을 막으려 나름대로 Know─How를 쓰고 있는데, Pandemic 상황에서는 이 '삶의 기술'이 효과를 충분히 발휘할 수가 없습니다.
　　　　어 ─ 하다가 보니　　언제 겨울이 가고 봄이 왔습니다.
　그 연약한 연녹색 새싹이 그 두꺼운 흙을 '부시식' 밀어내고 세상을 둘러봅니다.　　　'두리번두리번' 어디 꽃 한번 피워 볼까.
　　　　　　　　어디 한번 열매 맺어 볼까나.
　이렇게 연약해 보이는 새싹도 이렇게 용감한데, Pandemic이라고 쫄아서 웅크리고 있는 사람들이 안쓰러워 보이기만 합니다. 그렇게 쭈그리고 있다가는

어 – 하다가 보니 봄이 가버리고 말았네. 하실 것입니다. 그 말은
어 – 하다가 보니 내가 '헉' 죽어버리고 말았네. 와 같은 심각한
말입니다.

봄이 그렇게 갈까 봐   삶이 그렇게 갈까 봐   그 사람이 그렇
게 갈까 봐   겁이 덜컥 나는 겁쟁이는
용감하게 봄꽃이 되고 나비가 되기를 주저하지 않습니다.

찾아보면, 사람 없는 곳 그리고 적은 곳
    산과 바다. 그리고 강은 얼마든지 있지요.

이렇게 매년 봄을 그냥 보내야 하는 무서운 세상이지만
그냥 쳐다볼 수는 절대로 없지요.   더 이상 말이지요.
봄
꽃보다 좋은 것
봄
겉옷 무거워지는 것 느끼고

봄
나비만큼 좋은 것
봄
마음 무거운 것 벗어버리고
    ─ 「이래서 봄이 좋다」

봄이 오면 나른합니다.
  춘곤증(春困症, Spring fever, Spring fatigue) 때문이
지요. 춘곤증의 증상은 다양합니다. 피로감, 기운 없음, 소화불량, 식

286

욕부진, 불면증, 두통, 낮에 졸음, 어지러움, 신체 저림 현상 같은 여러 현상이 몸과 마음에 나타나고요. 봄이 찾아올 때 잠깐 그러는 사람도 있고, 초여름이 다가올 때까지 이 증상을 계속 호소하는 사람도 있습니다. 겨우내 건조하고 차가운 날씨가, 신체가 적응하기 전에 갑자기 따뜻하여지면 몸이 기후의 습도와 온도에 민감하게 반응하는 것이 바로 춘곤증입니다. 병은 아니지만 일단 피로감이 있어서 잘 극복하여야 하지요.

상큼한 달래, 냉이, 미나리, 도라지 같은 봄나물을 섭취하면, 이 춘곤증이 사라지는 것은 영양 보충적인 측면도 있지만, 정신적인 면이 더 크다고 하겠습니다. 몸에 봄의 기운이 들어가면서 마음이 금세 적응하여 주는 것이지요. 이런 면만 보아도 몸과 마음은 하나이고, **마음은 몸에 즉각적으로 영양을 끼친다** 는 것을 알 수가 있습니다.

춘곤증을 신속히 극복하려면, 비타민이 많은 신선한 야채와 과일 섭취와 함께. 기분을 상쾌하게 만드는 규칙적인 유산소 운동 그리고 충분한 휴식을 가져다주는 숙면이 필요합니다. 혹시, 늦게 자더라도 아침에 기상 시간은 일정하게 하는 것이 수면 리듬을 유지하는 데 도움이 되고요.

춘곤증 말고도 봄에 기운 빠지게 하는 것이 또 있습니다. 겨울옷입니다. 겨우 내내 체온을 보호하여 주던 겨울의 두꺼운 외투가 무거워지기 시작합니다. 아침저녁으로 쌀쌀하니 벗지도 못하고, 그냥 입고 다니지요. 추울 때는 당연히 몰랐는데, 날씨가 따스해지면서 옷의 무게가 느껴집니다. 그 무게는 날씨 온도에 비례하여서 점점 무거워지지요.   몸에 느껴지는 이 무게만큼이라도
마음을 누르는 그 무엇의 무게도 느껴야 합니다.
그 마음의 무게를 느끼는 사람은 그것을 어느 순간
'확 –' 벗어 던질 수 있습니다.

그래서 봄이 좋습니다. 화사하고 향기로운 꽃도 좋고, 꽃 주위를 환상적으로 날아다니는 나비와 벌도 좋지만, 마음에 느껴지는 춥고, 무겁고, 칙칙한 무게도 느껴지게 되어 이것을 벗어 버릴 수 있어서 봄은 이래저래 좋습니다.

야생화꽃 흙 된 지 오래고
동백꽃 벚꽃도 먼지 되었네

봄날이 가네
봄 또 오려나
　－「왜 내 봄날은 먼지 되었나」

지천에 꽃만 있었던 것 같던 봄날이 갑니다.
그렇게 아름답고 향기로웠던 나의 봄날도 갑니다. 꽃이 지면 나무들은 열매를 맺지만 - 인간에게 꽃이 지면 무엇이 맺힐까.

저 점점 바빠지는 까만 개미의 땀이 보인다
진액 흘리는 내가 보이니

마지막 빨간 꽃잎 떨어지는 한숨 소리 들려
내 신음 깊이 들리니
　－「이 환장할 봄 날씨를 끙끙 앓다 보면」

꽃잎은 젖어도
나비를 기다린다
향기 내면서

꽃잎 지면서도
나비를 기다린다
찬란 빛으로
　─「인간이 기다리는 것은」

인간은 어느 별에서 왔을까
꽃은 젖어도 향기 내며 나비 기다리고
꽃은 지면서도 아름다움으로 빛나건만
같은 별에 살아가는 인간은
　─「같은 별이 아닌 것 같은」

인간이 꽃 좋아하는 이유는
꽃 모자 꽃 향수 해보았자
자기가 꽃이 못 되기 때문이다

꽃은 젖어서도 향기를 내며
꽃은 지면서도 찬란한 빛을
그러니 어찌 인간이 꽃 같을까
　─「꽃보다 당신이라니」

한 발짝 앞으로 가면
두 발짝 성큼 물러난다
급한 마음에 달려가면
저 멀리 도망가 버리고

흔들린다 나 찾는 모습

그것마저 아지랑이일 뿐
─「찾던 것은 모두 신기루」

신기루(蜃氣樓 : Mirage)는 '없는 것이 보이는 것이 아니고, 있는 것이 실제의 위치가 아닌 다른 곳에, 그리고 그 모습대로 보이는 것이 아니고 다른 모습으로 보이는 현상'입니다.

신기루는 온도차가 클 때 빛 굴절 현상으로 일어나는 것이지요. 사막의 신기루는 공기의 위쪽은 차갑고 사막 바닥은 복사열까지 가해서 뜨겁게 되므로, 빛의 굴절이 심하게 되어 일어납니다. 신기루는 존재하는 것의 굴절된 현상이기 때문에 신기루로 보이는 사물이 실제로 그 근처에 존재합니다. 사막에서의 오아시스 신기루는 그 근처를 잘 찾아다니면 오아시스를 찾을 수가 있고요.

신기루는 사막에서만 보이는 것이 아니지요. 바다에서도 볼 수 있고, 극지방의 평원 그리고 도시에서도 목격이 됩니다. 보이는 모습은 다양합니다. 일그러져 보이는 모습에, 멀고 가까이 보이기도 하고, 위아래가 뒤집혀 보이고, 뒤집힌 상과 바로 선 모습이 서로 붙어 있기도 합니다. 바다에서 보이는 신기루는 배가 공중 부양한 모습으로 보이기도 하고요.

인간은 무엇일까? 다른 동물하고 다른 점은 무엇일까? 에 대한 고찰은 '인류의 최대 화두'였습니다. 이것을 알아내기 위한 철학적/종교적/정신 과학적 고찰은, 이 화두에 대해 접근을 하는 데 많은 도움을 주었습니다.

그러나 1%가 부족합니다.

1%가 부족하여 하늘에 이르지 못합니다.

철학적/종교적/정신과학적 탐험이 성공하였다면, 인류는 그 연구 결과에 따라서 지금은 모두 평화롭게 살아가야 합니다.

290

서로 다투는 일 없이.

그러나 현실은 그렇지 않지요.　　　비틀 비틀 합니다.

그것도 몹시 비틀거립니다.

사람을 가만히 들여다보면, 차이가 약간 있지만, 신기루 속에서 몹시 비틀거리는 그 현대인 특유의 모습에서 벗어나는 이가 거의 안 보입니다.

새벽 눈을 탁 뜨고는

캄캄 밤늦게 눈 스르륵 감을 때까지

부르르 떨어가며 쫓아가는 것들은 한결같이

이글이글 아지랑이고

한발 다가가면 세발 멀리 도망가 버려

조급히 쫓아가면 갑자기 흔연히 사라지니

　－「모두가 신기루 속」

그래서 - 인간이 사람답게 사는 일은 '깨달은 소수의 각자(覺者)'에게 주어지는 은총이자 행운입니다.

이 각자들은 자기의 의무를 알고 있습니다.

가능한 많은 사람이

자기의 깨달음에 이르도록 하는 것

들꽃 앞 향기 없는 이

사람 앞 사랑 없는 이

　－「그대는 작대기」

다시 이파리 날 일 없고
다시 사랑할 일 없고
다시 진실하지 않을
　　ー「그대는 막대기」

봄에 겨울 그리워하고
가을에는 여름과 봄을
겨울 춥다며 실눈까지
　　ー「그대는 언제나 막대기」

깊은 눈물 반 방울
김나는 따스한 가슴
보여준 적 없는 그대
　　ー「작대기와 마주하다」

서로 기대어 있는 모습이라 그랬나
인간
쓰러져 가는 벽에 기대있는 작대기
인데
　　ー「인간 인(人)」

막대기를 보네
푸른 이파리 무성하다가
달콤 향긋한 열매 맺다

모진 바람에 잘려 나간
작대기를 보네
잔가지마저 모두 끊기고
생명 물기 이미 사라져
어떤 희망도 증발해버린
　　ㅡ「나를 보네」

막대기는 가늘고 긴 나무토막이지요. 이런 가늘고 긴 의미에서 쇠막대기 같은 말도 있습니다. 작대기는 긴 막대기를 뜻한다고는 하는데, 큰 차이는 없어 보이고요.

노인이 된다는 것은 무엇일까
정말 내가 막대기가 되고
참으로 남들도 작대기로
보이는 것일까
　　ㅡ「비참한 막대기 생각」

사람을 뜻하는 한자 인(人)자는 상형문자입니다. 사람은 서로 의지하는 존재 또는 다리를 벌리고 서 있는 인간의 모습을 그렸다고 하지요.

그런데 항상 굽혀져 쏟아지는 벽에 아슬아슬하게 기대고 있는 인간으로 보이는 것은 왜일까요? 이런 생각이 정말 막대기/작대기의 근거 없는 망상일까요?

오래 그 오랜 세월을 살다가 저리 허망하지만 찬란한 석양이 좋아 보이는 나이가 되면 '이 세상의 모든 사람/일들은 그저 작대기가 아닐까?' 하는 묵상을 저절로 하게 된답니다. 저 스스로가 막대기이기 때문일 것입니다.

너 자신을 알라

가

너나 잘 하세요

로

— 「화두의 기막힌 몰락」

　예수, 석가, 공자가 세계의 3대 성인이라고 합니다. 여기에서 무함마드가 빠진 것은 아랍권을 무시한 '문화편중 현상' 중의 하나로 잘못되었다고 봅니다. 이슬람 세계(Muslim world) 즉 회교권(回敎圈)은 전 세계 인구의 20% 정도(약 13억~16억 명)나 되는데 무슬림의 종주가 제외된다는 것은 불합리하지요, 어찌하였던 사람들은 무함마드 대신에 한 명을 더하여 4대 성인이라고 합니다.

　그 한 명은 기원전 399년에 억울하게 고소당하여 처형당한 소크라테스입니다. 자신에게 덮어 쓰인 '신을 믿지 않고 젊은이를 가르치며 타락시킨 죄'를 항변하였지만 정치적 목적에 의하여 희생되었지요. 소크라테스의 가장 저명한 말은 너 자신을 알라(Know thyself)라고 알고 있는 사람이 많습니다. 하지만, 이는 틀린 정보입니다. 사실은 그리스 델포이의 아폴론 신전 기둥에 새겨져 있던 글 '그노티 세아우톤!' 경고문이라고 하지요. 스파르타의 킬론이 한 말이라는 설도 있기는 합니다.

　그래도 '너 자신을 알라'의 화두는 소크라테스가 한 말로 하여야 감이 올 정도로 오랜 역사를 통하여 인류에게 '부동의 화두'가 되어

왔습니다. 왜냐하면, 소크라테스는 이 화두로 인류에게 큰 공헌을 하였기 때문입니다. 그는 아테네에서 제일 현명하다는 사람들을 일일이 찾아다니면서, 그들이 주장하는 것. 그들이 믿고 있는 것에 관하여 묻습니다.　　　　　　'**당신이 안다는 것은 무엇이오?**'

이 질문 앞에 그 누구도 제대로 '자기가 아는 것'을 제대로 설명한 사람은 없었지요. 결국 '그들이 사실은 무지'하다는 것을 하나하나 증명해 나간 셈입니다. 그런 오랜 과정을 거치면서 소크라테스는 결론에 다다릅니다.

사람들은 자기 자신을 모른다.　당연이, 나도 나를 잘 모른다.
사람들은 자기가 아는 것이 없다는 것을 모른다.

'아이고 – 주제 파악이나 하시지' '꼬락서니도 모르는데 무신 – ' '나 참, 네 주제에?' '야 – 네 꼬라지 알면서 그러는 기가 – '라고 무심코 말하는 것이　　　　왜 심각한 화두가 될까요?

자기 자신을 모르면 자기에게 걸려 넘어집니다. 남도 넘어트리고요. 비틀거리는 것이지요. 사람들이 자기가 어떤 인간인지 모르기 때문에 자기 자신에게 속고, 자기를 모르는 남에게 또 속습니다. 이렇게 속고 저렇게 속으니 매일 실수를 반복하고, 그 실수로 인하여 고통에서 헤어나지를 못하게 되는 것입니다.

내가 좋아지 않는 것을 좋아한다는 속임에 속고
남이 좋지 않은 것을 좋게 보이게 하는 속임에 속고

상대방이 좋아 보여서 결혼까지 하였는데, 하루 평균 300쌍 이상씩 매일 이혼(경제협력개발기구;; OECD 회원국 중 한국 이혼율 9위 – 아시아에서는 1위) 하는 것은 결국, '내가 이런 사람을 좋아하는 줄 알았는데 그렇지 않았다'이거나 그 사람이 그런 줄 알았는데 그렇지 않았다.'가 되겠지요.

결혼/이성 문제뿐 아니라, 직업과 사상 면에서도 사람들은 자기가 좋아하는 것/싫어하는 것을 정확히 모릅니다.

내가 나를 모르니　내가 남을 모르니　일어나는 연상이지요.

그 현상으로 삶이 괴롭기만 합니다.

고통과 고난에서 벗어나고 싶으십니까?

불안과 초조에서 헤어나고 싶으십니까?

그렇다면, 자기를 모르는 자기에게 속으면 안 됩니다.

자기를 모르는 남에게도 속으면 안 되고요.　　그래서

자기를 알고 남을 아는 것은 '영원한 인류 최대의 화두' 입니다.

이쯤 되면, 어떤 분은 이 이야기는 2,500년 전 배경을 기초로 한 것 아닌가? 지금이 얼마나 그 이후에 모든 것이 발달하였는데 이런 말을 하는가? 하시겠네요.

고대 올림픽이 열린 올림피아에 가보면, 인류를 이해하는 데 도움이 됩니다. 사람들은 기원전 776년부터 4년마다 올림픽경기를 여는데 로마 황제 테오도시우스 1세가 강제로 폐쇄하기까지 근 1000년을 이어 나갑니다. 달리기를 시작으로 멀리뛰기, 창던지기, 원반던지기, 복싱, 레슬링, 승마, 전차 경기까지 있었고요. 경기장 입구에는 돌 아치도 있고, 관중석도 제대로 갖추어져 있습니다. 유적, 유물 그리고 부대시설을 보노라면, 지금 열리고 있는 인류 최대의 체육제전 올림픽이 여기서 크게 벗어나지 못하고 있음에 놀라움을 금치 못합니다.

현대문명의 핵심인 컴퓨터, 인공지능, 핸드폰, 자율 운행 자동차 같은 것들이 인간을 더 똑똑하게 만들어서 인간 행복을 3천 년 전보다 더 많이 이룩하였다고 하는 분도 계시겠네요. 이런 분들이야말로 - 자기를 모르고 남을 모르고 인류를 모르는 분이 되시겠습니다.

인류는 역사를 추가해 갈수록 어리석어져 가고 있습니다. 자기를 모르는 사람, 남을 모르는 사람만 늘려나가는 것이

－ 현대문명의 속살입니다.

내가 나를 모를 수 있다. 저 사람/일/사상을 모를 수 있다.
　　내가 지금 믿고 있는 것이 사실이 아닐 수 있다.
　　　　　　내가 믿는 저 사람/일/사상이 틀릴 수 있다.
　라는 것을 항상 되뇌는 사람이 바로 현자입니다.
　　　　　당연히 행복한 사람이고요.

꽃들 보라　　　가만히
나비 보라　　　자세히
오래 보라　　　천천히
　－「그대 본 것같이 그대 보이기는 하는가
　　　예쁘기도 하고 향기가 나기도 하는가
　　　바람 타고 오르는 그 아름다운 모습
　　　어디 한 부분이라도 담기나 했는지를
　　　그대 자신에게 보고 묻고 또 물으라
　　　그럼 어찌 아는가 어느 순간이라도
　　　아니 그대 죽기 바로 전에라도 어쩜
　　　꽃들과 같고 나비 같은 모습이 될지」

　　　　　　　　　　　(시보다 제목이 긴 시)

그대는 불씨인가 물어라
나중에라도 불꽃이 되는

　　　　　하늘 밝히고
　　　　　땅을 맑히는

　－「물고 또 물어라」

그대 기도하시라
불씨이기를
                    짐승 가슴 구석에
                불꽃이 될
    —「모든 인간에게 불씨를」

불씨 살리시라
통곡 벽 머리 치는 누군가에
불꽃이 되는
    —「통곡 벽 불씨」

불씨는 꺼트리는 게 아니다
세상 마지막 까만 순간에도
    —「그걸 꺼버리는 당신」

그대는 인간이 아니네요
마지막 그 불씨마저
발로 비벼 꺼버리다니
    —「그마저 발로 비벼 끄는 이」

그래요
당신은 그러고도 남을 인간이었어요
그래요
마지막 한 줌 그 불씨 짓밟아대던
    —「그런 인간을 못 알아보다니」

　　　　　　그대는 들판 야생 꽃 꺾어
　　　　　　내 머리에 꽂아 주며 웃었지요
　　　　　나의 미소를 강요하면서
　　　　　　　그 꽃 내년 이맘때쯤에는
　　　　　　다시 살아날 수 있을 거예요
　　　　　내 마음 불씨는 아니지만
　　　　－「그때 나의 불씨는 재가 되었지요」

꽃 앉은 나비
어지럽다며 땅에 떨어질 때
두 방울 눈물이 흐르더군요
마음 구석에
간신히 쪼그리던 불씨마저
꺼질 땐 눈물조차 없었고요
　　－「불씨의 무게감」

불씨 하나
불꽃 한 송이 피우고
불씨 둘은
불꽃 만 송이 피우니
　　－「백만 송이 불꽃 씨앗」

물어라
심각하게 물어라

그대 저 구석에

불씨가
　　―「그대가 살아 있는지 묻고 또 물어라」

불씨는 꺼트리는 게 아니다
푸석하게 식어버린 재에서
불꽃 절대로 피어나지 않으니
　　―「다른 것은 다해도 이것만은」

푸석한 까만 재에서 꽃 핀다
그 절망에서
그 누구 하나가 자기 살라
불씨 살렸기에
　　―「보이지 않는 불씨로」

찬바람 그대 쥐고 흔들지라도
끝끝내 꺼지지 마시라
그대가 쥐고 있는 그 불씨는
마지막 외줄기 생명줄
　　―「불꽃에 대한 마지막 희망」

그대 좁아질 대로 좁아진 가슴 속
꽉 채운 그 많은 매캐한 잿더미들
　　　　　　　　　어쩌다 그리 되었을까
　　　　　　　　　어쩌다가 이 지경까지
　　―「그래서 불씨는 꺼트리는 게 아니다」

인간들은 떤다
어른들 노인 아이들 청년들
모두 덜덜 떨어댄다

Ice Age이런가
얼어 죽어 가는 호모사피엔스
불씨 꺼트리더니
　－「가슴 속 불씨 꺼트리더니」

불꽃에서는 향기가 난다
고매한 불씨 향
그 추위에 그 바람 속에
간신히 살아남은
　－「불씨 향기」

그대 마음 속 불씨는 얼마나 되는가 물어라
　　　　돈 권력 명예 그런 거 말고
그대 가슴 구석 불꽃 몇 송이인가 물어라
　　　　예쁘고 잘나고 그딴 거 말고
　－「그딴 거 말고」

불꽃 한 송이 그대에게 바치리
눈 내리지고 비 내리지도 않는
바람 불지도 천둥 번개도 없는
　　　　　　아무것도 아닌 이 거룩한 날에
－「작은 불씨 속에 태어난 거룩한 오늘 그대에게 바치리」

불씨 하나
불꽃 하나
희망 하나
생명 하나
  ─「불씨 셋 생명 아홉」

그대 마음에서 진물 흐르는 것은
그대가 어제 불씨 꺼트렸기 때문이고
그대 가슴 매캐한 재 가득한 것은
누군가 그제 불씨 짓밟았기 때문이니
  ─「불씨의 존재」

그대는 꽃이시네요
불 향기 휘감으신
  ─「그대의 눈동자에 불씨가 보이네요」

그대의 눈동자에 불씨 보여요
얼음장 녹이는

언제 일까 꽃 만발하겠네요
불길 찬란하게
  ─「불길 기다리며」

어제는 날씨가 더웠지
이만큼 더웠나

아무도 이런 걸 신경 안 쓰듯이

남들 나를 어떻게 볼까
나 한 말 내 행동
땅 위 기는 개미 관심 안 갖듯
　―「남을 의식하며 사는 그대에게」

오늘은 흐리겠습니다
온도는 최저가 어떻고
습도는 최고가 어떻고
내일 이런 것 아무도 생각 안 한다

그대 다른 사람들에게
소유 인격이 어떻고
이런 저런 평가 있건
지나가는 바람 아무도 관심 없듯이
　―「주위 시선은 일기예보 수준」

하루에 몇 번이나 남 의식하는지
문뜩문뜩 물어보시라

남들도 모두 나를 그리 대하는데
맨날 남 날 어찌 볼까
　―「어찌 그런 무지한 생각에 사로잡힐 수가」

그대는 지구 중심
남들은 나의 위성으로

남들은 나를 위성
지구 밖 반파 운석으로
　─「아무도 나에게 관심없다
　　나도 남 생각 안 하듯이」

지구 밖에 날아다니는 돌덩이들
지구로 달려든다고 하여도 타 버리고 마는

그런 게 있나 아무도 관심 없고
다른 사람들이 나를 그렇게 보아주는
　─「남들이 나를 어떻게 생각하냐고?」

큰 별 작은 별 꼬리 달린 별들
날아다니다 부딪혀 깨져 나간다
잘려 흩어지는 크고 작은 조각
지구 밖 세어지지 않는 수많은
　─「그걸 누가 신경쓸까 내가 남을 보듯이」

　지구 밖에서는 대단한 일들이 벌어지고 있지요. 지금 이 시각에도 말이지요.
　행성(行星; planet), 소행성(小行星; Asteroid), 그리고 혜성(彗星; comet)이 빼곡하게 지구 밖에서 충돌하고 있습니다. 이 거대한 광물질 덩이들이 박치기하다가 보니, 그 폭발이 대단하지요. 지구에 가까운 달은 약 45억 년 전에 이렇게 해서 만들어졌습니다.

충돌로 인한 파편들도 엄청 많지요. 그것들이 대기에 떠다닙니다. 숫자를 세기가 불가능할 정도로 많고요. 떠다니다가 지구 근처에 오면 지구 자력에 당겨져 지구로 달려듭니다. 그 숫자는 시간당 수백 개에서 만 개까지 되지요. 이 거대한 광물질 덩어리는 지구의 대기권에 들어오면서 대개가 타 버리게 되지만, 살아남은 것은 지구 땅 위에 떨어져 지구 생명체에 절대적 영향을 끼치게 됩니다. 한 예가, 6500만 년 전 K-Pg(백악기–팔레오기 멸종(Cretaceous-Paleogene〈Kreide-Paläogen〉 extinction event) 즉, 공룡 멸종(Dinosaur extinction)이지요.

한국에도 운석 낙하의 유명한 곳이 있습니다.

기원전 6만 ~ 4만 8천 년경 경상남도 합천군 초계면과 적중면 지역에, 200m짜리 운석이 떨어졌습니다. 반경 50㎞ 정도는 모든 것이 다 없어졌고요. 반경 200㎞ 즉, 남한 면적은 모두 열 폭풍으로 인하여 엄청난 영향을 받았습니다. 이런 운석(隕石 ; Meteorite)들은 지구에 존재하지 않는 광물질을 함유하기도 하여 놀라움을 가져다주지요. 값도 부르는 것이 값이 될 정도로 희귀성을 갖고 있습니다. 이렇게 지구에 떨어지는 극소수의 운석을 제외한 별들의 파편 즉, 광물질 덩어리들은 지구 위에 '어마 – 어마 – '하게 떠다니는데도 학자들을 제외한 일반인들은 아예 관심을 두지 않지요.

별 자기네끼리 박치기하여
부스러진 광물질 덩어리들
파랗게 아름다운 하늘 위에
떠다닌다고 아무 관심 없듯

인간들 서로 부스럭 스치며
푸석 푸석 이는 먼지들같이
나도 남 신경 안 쓰고 살며
왜 남 날 어떻게 생각할까를
　　―「한심하고 가련한 대표착각」

하도 세상이 시끌 + 번잡하다가 보니,
　　　　　　대형 사건도 며칠 안 있으면 잊혀 갑니다.

시끌 시끌 화끈 화끈
휙 ―
다음 사건 들어 오삼
휙 ―
　　―「종일 이런 속에서 살며 무슨」

그러니, 작은 일들은 아무도 관심을 두지 않는데―.
제법 많은 사람이 골몰하며 사는 것이 있습니다.
　　남이 나를 어떻게 생각알까?
　ㅣㅎㅎㅎ ㅁㅈㅇㅇㅣㅁ ㅎㅉㅇㅇㅎ ㅂㅇㅅㅅㅎㅈㅁㅏㅏ ㅊㅎㅂㅌㅌ．

　이런 모습을 보면 안타깝기만 합니다. 대형사건이 계속 터지는 이
세상에 누가 당신에 대하여 신경을 쓸까요? 착각에서 벗어나야 숨
이 제대로 쉬어집니다.   긴 한숨 ― 푹 ― 내뿜어 보시지요. **내가 남
관심 별로 없는 만큼, 남도 나에게 확실하게** 신경 안 씁니다.

시들어지지 않으면 그것이 찬란하게 향기롭던 꽃일까
금세 흔적 없이 사라지지 않으면 신비로운 무지개일까
서서히 변질 변하지 않으면 달콤하다던 사랑이라 할까
붙잡으려고 한다고 붙잡힌다고 하면 그게 젊음이 될까
　―「꿈 깨시라 꿈」

감사가 이따시 깊으면
행복 이따시 넓어지니
　―「이따시 깊게 이따시 넓게」

감사 + 감사 × 감사 = 행복 질량
　―「행복 질량 함수」

그거 아세요
좀 있으면 있잖아요
당신 두 눈에 아무것도 안 보이고요

그거 아세요
어쩜 얼마 안 있어
당신 두 입 말도 먹지도 못하게 되고

그거 아세요
마냥 남 일 아니고
당신 두 귀로 아무것도 들리지 않고

그러니

좋은 것 많이 보세요   - 지금

예쁘게 말하고 다니세요 - 지금

나쁜 소리 멀리 하세요 - 지금

인상피고 미소지으세요 - 지금

일어나서 걸어 다니세요 - 지금

　　　－「지금 꼭 해야 할 일들이란」

▶　　　가물가물합니다. 몇 년이나 되었는지 - 정확히 5년인지, 6년인지 따질 나이는 이미 한참이나 지났습니다. 대강 - 몇 년으로 하고 넘어가야 숨이 잘 쉬어지는 나이입니다.

지난해 겨울에 폭우가 쏟아지는 날들이 한참이나 있었습니다. 비가 와서 '아 – 좋다. 정말 좋다,' 한 것 말고도 구들장 불같은 은근한 기대가 생겼었습니다.

　　　　　'야생화를 보게 되나 보다.'

그런데 올해 1월에도 1주일이 멀다고 비가 쏟아지십니다. 그것도, 양동이로 쏟아붓는 것 같은 빗줄기로 말이지요. 일기예보에서는 몇 년을 이어오던 가뭄 사태가 종료되었다고 합니다. 기쁜 소식이지요. 저의 마음속에 확신이 들어옵니다.

　　　　'This year is Super Bloom'

　　　굳이 번역하면, '올해 야생화는 대박' 정도 되겠지요.

　　　가는 그곳마다 야생화가 만발입니다.

모두가 감명/감동/찬미를 연발하게 만듭니다. 특히 사막 모래알 몇 알을 붙들고 억지로/간신히 피는 찬란한 사막 야생화는 볼 때마다 눈물이 납니다. 몇 년이나 못 보던 대단위 각종 야생화. 산과 들을 모두 '화—악' 덮어버린 순례자 행렬

사막 모래 몇 알 간신히 꽉 붙잡고서
억지로 몇 년 만에 피어주는 이름 없는 꽃 보면
왜 눈물 저절로 솟구치며 그치지 않을까
　—「왜 나를 보고 눈물 흘리지 못할까」

팬데믹 때도 갔었습니다. State Park, National Park의 안내 Site에 들어가서 '올해는 야생화가 별로 없다.'라는 것을 보아도 갔었지요. 습관 때문만은 아닙니다. 혹독한 주위 고통 환경 때문에 온몸에 소름 돋고, 부르르 떨고, 사무치게 괴롭고 외로울 사막 야생화들의 외침이 들려서 가지 않을 수가 없었지요.

그 땅속의 야생화 꽃씨들에게
이름 없는 시인 말고 누가 위로를 주겠습니까.

얼마나 놀랐으면 가죽에
그 많은 돌기 올라올까

얼마만큼 서러워 온몸이
저절로 부르르 떨어질까

참으로 고통스럽다는 것
하얀 뼛속까지 시려지는
　—「소름, 몸부림 그리고 사무침」

한 2년 동안은, 꽃은커녕 간신히 살아 올라온 풀들도 그냥 이 풀이 작년에 올라왔다가 이렇게 된 것인지, 한 3년 그렇다가 이렇게 먼지 직전의 모습으로 된 것인지 모호한 그런 황량한 사막의 모습만을 볼 수가 있었지요. 또 어떤 해는 그야말로 용감하기도 하고, 행운답기도 한, 꽃 한두 송이만 보고 돌아왔고요.

운전 왕복 7시간을 하여도 땅속에서 숨을 고르고 있는 꽃씨들에서 인사한 것만도 감사한 마음이었습니다. 그런데 올해는 장관입니다. 지구 위에 이 더 찬란한 곳이 또 있겠는가?

이 잔인하기만 한 지구별 표면 위에
이만한 것이 있겠는가
춥고 떨리기에 깨어서 새벽이슬
몇 방울 억지로 붙들어
모래 몇 알 온 힘으로 붙잡고는
그것도 뿌리라고 내려서
며칠도 못 되어 다시 먼지 돼도
누구보다 깊은 색 토해내
  ―「사막 꽃 그대보다 찬란한 것이 있을까」

이 꽃들을 보면서, '하얀 꽃, 보라 꽃, 노란 꽃' 하는 미국인들 순례자들을 보면, 혀가 또 저절로 말렸다 풀렸다, 트위스트를 춥니다. '츳 츳 – 끌끌'

사막보다 더 사막인 세상
모래알보다 더 모래인 인간들

그 속에 간신히 뿌리내려
사람 살리는 글 한 줄 피워내는
　－「사막 야생화 피우듯이 시인은 시를」

이 꽃들의 색들은 분명 '하얀 것 같지만 세상의 하양이 아니고, 보라 같지만, 인간들 호두 두뇌 속 보라가 아니며, 노란색 같지만, 원숭이 변종 전두엽 속 그것'은 더군다나 아닙니다.

깊습니다. 깊다는 표현 쓰기에 부끄러울 만큼.

그대도 그랬으면 좋겠습니다. 깊은 인성과 품격의.

이렇게 거룩한 순례의 길을 지내고 허름한 집으로 돌아왔습니다. 제법 오래된 시간을 자연 속에서 지내다가 온 사람에게서는 '자연의 향기가 배어 있을 것'입니다.

뉴스를 보려 언제나 싸늘한 모습의 네모 상자에 불을 넣었습니다. 그동안 세상이 어떻게 되었나…. 30초도 못 들어 주겠습니다. 채널을 돌렸습니다. 20초, 10초, - 머리에 아무것도 들어오지 않습니다. TV에서 무슨 말들을 하는지, 무슨 화면인지 전혀 두뇌에서 읽어 내지를 못합니다.

주파수가 안 맞습니다.　　세상의 주파수와 나의 주파수가.

자연은 이렇게 세상의 온갖 잡념, 잡음, 잡경(雜景)에서

나를 보호해 주는 순기능, 성스러운 힘이 있습니다.

자연 속에서 지내는 그 질량이

행복 깊이이고 비례합니다.

* 인간들이 무심코 하는 일들이 있습니다. 어떤 동기나 욕구가 호두알 뇌 구석에서 작동을 하여야 하는 짓이 아니고 '강 -' 합니다. 그 중에 하나.　　　　　　　무식한 행동.

꽃을 꺾는 일입니다. 산에 나가, 들에 나가, 길거리 가다가 꽃을 보면 -   '갱 - ' 꺾어 버립니다.   손에 들고 처음에는 예뻐도 하고, 향기도 맡고 하다가 그것도 잠시.
　결국은 금세 싫증이 나서는 '휙 - ' 길거리에 패대기칩니다.
　무심코 그대가 꺾은 꽃은 무엇일까요?
　그 한 송이 피우기 위해서 일 년 내내
　　　　　꽃나무는 숨소리까지 함부로 하지 않았습니다.
　그대가 약자를 함부로 대하는 것은
　　　　　바로 꽃 한 송이를 무심코 꺾는 만행과 같습니다.
예쁜 꽃을 보거든, 그냥 보고 그냥 지나가 주세요.

이백팔십오일 나뭇잎 붙잡다가
열흘째 마지막 잎새 내어주고
육십오 일간 날선 눈 속 떨다가
삼 일간 피었었고 더 피었어야

했던
바로

너의 숨결
　- 「지금 그대가 무심코 꺾은 꽃은」

들판에 나가서
산길을 걷다가
꽃을 보거든 그냥 지나가시라

예쁘다 향기가
그렇게 떠들다
결국은 꺾고 곧 길가에 버리니
　－「들꽃 보거든 보고 그냥 가시라 제발」

쉬 － 꽃잎 하나가 진다
쉭 － 별 하나 된다

쉬 － 아이 눈물 한 방울
슝 － 또 별 되어서
　－「쉿 － 」

쉬 － 꽃이 진다
쉬 － 내가 진다

꽃 지면 열매 맺는데
나 지면 먼지만 보태
　－「어쩌면 마지막 봄」

　아들만 4형제인 막내로 태어났습니다. 첫째, 둘째 형님들 모두 70
대 중반도 못 넘기고 소천하셨습니다. 셋째 형도 같은 증상으로 고
생하고 있고요. 가족력이라는 과학적 증거이지요.

삶은 과학
　－「엄연한 Fact」

그러니 당연히 나도 오래 못 살 것이라는 '엄연한 사실'을 항상 마음에 두고 있습니다. 그래서 하루 그리고 또 하루가 '찬란하고 감사합니다.'

잔인하다
마지막 봄은
잔혹하다
마지막 꽃은
　　─「어떤 이에게는」

노인에게만 '어쩌면 올해 봄이 마지막' '마지막 보는 꽃들'이 아닙니다. 　　　　온통 향기이고 어디를 가나 봄꽃이건만
　이를 못 느끼는 인간에게는 이미 마지막 봄이 가고 말았습니다.
봄을, 봄꽃을 더 이상 못 본다는 것은 참으로 잔혹한 일입니다.
　봄인데, 봄꽃 만발인데 이를 못 느낀다는 것도 잔인한 일이고요.
이 세상 오로지 한 사람　　소중한 자기에게요.

시침 뚝 집어 따고
이리도 고요한가

시치미 슥 떼고선
이리도 적막한가

조금 전까지도
그리 소란하더니
　─「고요하기 위하여 그리도 소란하였다」

석양은 저리도 시치미를 뚝 따고 있다
저리도 적막하게
저리도 평화롭게
조금 전 까지도 번갯불로 지져대더니
지금 고요하려 그랬다는 듯이
지금 평온 주려 그랬다는 듯이
—「석양이니 이젠 제발」

석양이 저리 깊으면
석양 저리 무거우면
황당하기만 하다

저리도 고요하려고
저리도 적적하려고
그리 소란했었나
  —「세상 그랬었다고 믿고 싶다는」

상처를 받을 것인지 말 것인지를
그 원수가 결정하였고
상처를 깊게 키울 것인지 말지도
그 원수 결정해나가니

내가 결정해야 할 것을
  —「내가 결정해야 할 일을」

화살 맞아도 상처 내는 것은 나의 결정이고
깊은 상처가 되게 하는 것도 나의 결정이니
    －「상처는 엄연한 나의 결정」

가깝게 아는 사람에게
잘 아는 사람들에게
           걸려 넘어지고
           등에 칼 안 맞는
           사람 어디 있으랴
횡격막 깊숙이 찔려
아직 선명한 상처에
또 같은 찢김을
다시 검은 멍을
그렇게 당하더라도
    －「행복하여라 상처 안 받기로 결정하는 사람들」

목숨이 고단한 가우라 잎 하나 먼저 지며
나머지 꽃잎들에서 무슨 말 할까
목숨이 가난한 시인 하나 숨 먼저 거두며
남아있는 시인들에게 무슨 부탁을
    －「피어 있을 때 향기를」

           저리도 찬란하던 것이
           그렇게나 향기향기가
    －「꽃잎이 지다니 내가 지다니」

작년에도 이레 만에
올해도 일주일 만에
세상 모두 토해내어
　－「그래서 내년에도 질 꽃이 핀다네」

　　　　　　　　　꽃잎 툭 지는 모습
　　　　　　　　　그대 떠나는 뒷모습
　　　　　　　　　　－「아무튼 아름다운」

떨어지는 꽃잎 하나
이마 닿아　　　　　　　또 하나 떨어지다가
　　　　　　　　　　　볼에 닿아
　－「얼굴에 온통 화상」

길 먼지 흠뻑 뒤집어쓰던
꽃잎 하나
다른 꽃잎 모두 놓아두곤
떨어지는데
　－「먼저 승천하는데」

안개 걷히기를 기도하는
무더기무더기들 모여
하양 횃불 봉기 등등대며
바람에 파도에 맞서며
　－「∞ 안개꽃 도반(道伴)」

안개꽃을 보며 하나씩 보는
사람이 있을까
안개꽃 한 송이 자세히 보며
뜨거운 사람도
　　─「모여서 아름다운 것
　　　　혼자서 향기로운 것」

지는 꽃잎에 내리는 빗물의
무게는 얼마나 될까
고단함 얼마나 될까
　　─「빗방울의 무게 그대의 무게」

행복하시자고요
아침 점심 저녁
행복하시자고요
꿈속에서까지도
　　─「그러시자고요」

꽃을 보면
다시는 못 볼 것이라고

사람 보면
오늘이 마지막이라며
　　─「그런 성자가 있었다」

꽃잎이 하나둘 셋

떨어져 다시는 못 보듯이

사람 만날 때마다
다시는 못 볼 이 대하듯
　－「그렇게 애틋하게 그렇게 사랑스럽게」

고운 눈길로
따스한 말로
부드러운 손
사랑의 가슴

내일부터는 다시
못 볼 사람 대하듯
　－「이거 하나면 되지요」

인간 그거 별거 아니지요
그런데도 아닌 척
안 그래도 그런 척
　－「인간이 별것 될 수 없는 이유」

척
괜찮은 척
아무렇지도 않은 척

척
안 아픈 척

불안하지 않은 척
　－「삶이 척척 안 풀리는 이유」

척
잘 나가는 척
문제 전혀 없는 척
척
스마트한 척
잘난 척 화목한 척
　－「가면 안 쓴 척」

아무런 문제 없이 살아가는 이 어디 있으랴
여기저기 살짝 많이 안 아픈 이 또 어디 있고

이따금 혹 불안하지 않은 이 어디 있으랴
가정 깊숙한 구석 불화 없는 이 또 어디 있고

그런데
이런 척
저런 척
척 척 척 척
　－「그저 척하며 사는 동물」

내 짐은 왜 이리 무겁냐고
이 짐 내려놓으면 또 다른 짐이

왜 남들은 짐 없어 보이고
등짝 휘어만 가게 남덩이 짐이
　—「누구나 짐을 지기에 인간」

짐
남덩이 짐
돌덩이 짐
지지 않고 사는 이 어디 있으랴

걍
안 무거운 척
지지 않은 척
그렇게 막연히 보일 뿐이건만
　—「벅찬 짐 지고 살기에 사람」

이상한 동물 있다
지구상 유일한 동물

자기 스스로 무거운 짐 만들어
평생 벗지 못하다 죽어만 가는
　—「그 짐이 무엇인가를 보는 자만이」

인간이 무엇일까요?
생물학적 인간학으로 접근하면 그냥 동물이지요. 동물하
고는 다르다며 이성적 인간학으로 연구하면 동물 그 이상의 것이고
요. 그러나 인간은 동물, 짐승, 이성적 객체, 철학적 동물, 종교적 동

물 등등 – 아무리 설명해 보아도 '확실히 이것이다.'라며 정의 내리기에는 너무 복잡한 동물임에는 틀림이 없습니다.

인간은 한 마디로 '짐을 진 동물'입니다. 그것도 무거운 짐 말이지요. 돌덩이 짐, 납덩이 짐 같이 몹시 무거운 짐.

이 지구상에서 제일 무거운 금속은 금이나, 납이 아니고 오스뮴(Os, 원자번호 76번)입니다. 무거운 금속 텅스텐(Tungsten), 금(Gold), 아이언(Iron), 아이젠(Iridium), 리듐(Rhodium), 플래티넘(Platinum)보다도 무겁지요. 흔한 금속이 아니니 사람들은 무거운 짐 – 하면 돌덩이나 납 정도를 상상하게 됩니다.

이 짐을 안고, 이고, 지며 죽을 때까지 벗어나지 못하는 동물이 바로 인간입니다. 예외가 없습니다. **거의가 스스로 만들어 더 무거운 짐을 지고 살아가는 어리석은 동물. 그 짐이 무엇인지를 보는 자만이 이 짐을 벗어 버릴 수 있는데 못 봅니다. 보는 방법은 얼마든지 있는데 못 보니 참 답답하고 안심하기만 안 동물입니다.**

안개 세상 속 등불
왜 진흙탕 뿌리 내렸을까
대낮에도 어두움 속
왜 연등 저리도 찬란할까
　　－「왜 아직 어두울까」

뿌리 내릴 데가 그리 없었던가
부패 썩은 진탕 속에 그리 깊이 뿌리 내리고

내 견디는 것은 이 정도라서

한 방울 무게마저도 너무 벅차다고 또르르르
　-「그래야 부처」

썩은 물 벌컥벌컥 마셔가며
그것도 매일
세상 오악 물들지 않겠다며
매일 또르르

저리도 그윽한 연꽃 피우니
매일 마음속
　-「매일 부처」

진흙탕 세상 뿌리내리면서도
너절한 삶 오악 한 모금마저 내려 놓고

그것도 모자란단 말인가요
그 넓은 이파리 주름 가득 꽃도 가시들이
　-「이 정도는 되어야 가시연꽃 부처」

저 넓은 주름진 이파리에
저 깊은 꽃에 가시들만이
　-「가시연꽃은 그림자가 없다」

뻘짓 세상에 발 깊이 담고
오악 절대 물들지 않겠다며 또르르르
번지르르 한 군데 어디 없이

이파리는 주름 가득 꽃도 가시 가득
　　ㅡ「가시연꽃만한 것 어디 있는가」

가까스로 피운 꽃
게다가 진흙탕 속에서
잔뜩 주름진 몸으로
　　ㅡ「가시연꽃 같은 불자 한 명이라도」

그렇게만 사세요
진탕 흙에 깊숙이 뿌리 내리고요
받으면 무조건 또르르르 내려놓으세요
그렇게만 사세요
세상 모든 주름 한 몸에 같이하고
그대 간신히 피운 꽃에 가시 둘러가며
　　ㅡ「가시연꽃으로 사세요」

향기 없는 연꽃 저리 찬란한가
사랑 없는 사람 저리 초라한가
　　ㅡ「그대는」

가시연꽃 보면서
한숨 짓는 이는 행복하다
그대는 이미 깨달은 자이다

가시연꽃 보면서
미소 짓는 이도 행복하다

324

그대 이미 부처님이시니
  ―「가시연꽃 못 보는 이는 불행하다」

그대는 불행하다
어디에 뿌리를 내었는지 모르니
그대는 불안하다
다가오는 것 모두 받아들이니
그대 비틀거린다
꽃에 가시 없어서 늘 꺾이기만
  ―「가시연꽃으로 살지 않는 이는 불행하다」

뿌리 내릴 데가 그렇게 없더냐
진흙탕
맑은 이슬마저도 품지 못하는가
또르르
가까스로 피운 꽃 가시 두르는가
향기는
  ―「가시연꽃 가시부처」

                    그쯤 해 두시지요
얼마나 사무치게 살아왔으면
살갗이 그리 찢어져 굳어졌을까
얼마나 오그리고 살아왔으면
간신히 피운 꽃마저 가시 두르고
                    그쯤 살아오셨으니
  ―「가시연꽃 당신 이제 그만」

누가 믿겠는가
수렁 속에 두 발 깊이 했었다고
누가 믿겠는가
이슬 한 방울마저도 버거웠다고
누가 믿겠는가
결국 꽃에 가시 두를 것이라고
  ㅡ「누가 믿겠는가 가시 부처 연꽃」

우툴 두툴 이파리면 어떻더냐
싸늘한 시선 오그라들면 또 어떻고
게다가 아슬하게 피운 꽃 가시 둘러져 있어도

부처면 되는 것 아닌가
  ㅡ「그대도 그러면 되는 것 아닌가 가시연꽃」

꽃을 보면서 이 꽃의 잎을 보는 것
        이 꽃향기 느끼는 것이
                오늘 마지막이라고 생각하는 이와
                그렇지 않은 이.

사람 만나며 말 서로 나누어 보는 것
        눈길 체온 가까이하는 것

                내일부터 다시는 안 된다는 것 느끼는 이와
                그렇지 못한 이.

차이가 무엇이 될까요?

지성과 무지

행복과 불행

평온과 우울

기쁨과 고뇌

도사와 원숭이   차이 정도 될 것입니다.

특히, 이런 마음과 태도를 가까운 사람에게

　　　　식구들에게

　　　　친구들에게

　　　　이웃들에게

　　　　　　　소홀히 하는 인간들이 많지요.

　　　　　　　아니. 원숭이들이 참 많지요.

- 지혜서 -

몹시 비틀거리는 그대에게

– a 시인의 시 묵상 에세이집
ⓒa 시인, 2024

초판 1쇄 | 2024년 3월 20일

지 은 이 | a 시인
펴 낸 곳 | 시와정신
주   소 | (34445) 대전광역시 대덕구 대전로1019번길 28-7

전   화 | (042) 320-7845
전   송 | 0504-018-1010
홈페이지 | www.siwajeongsin.com
전자우편 | siwajeongsin@hanmail.net

공 급 처 | (주)북센 (031) 955-6777

ISBN 979-11-89282-60-8   04810
ISBN 979-11-89282-61-5(세트)

값 16,000원